돈이 되는

퍼스널 브랜딩

이제는 우리가
주인공!

고선희 김미희 김성준 서민경 안현숙
오순금 유경애 이영미 황경하

돈이되는 퍼스널 브랜딩
이제는 우리가 주인공!

발 행 일	2024년 1월 15일
지 은 이	고선희 김미희 김성준 서민경 안현숙 오순금 유경애 이영미 황경하
편 집	권 율
디 자 인	김현순
발 행 인	안현숙
발 행 처	행복누리캠퍼스(연구소)

출판등록	제 2023-000030호 (2023년 07월 12일)
주 소	광주광역시 두리봉길 48, 3-101

홈페이지	www.happy0001.com
이 메 일	yeppys@hanmail.net
ISBN	979-11-984143-1-1

돈이 되는

퍼스널 브랜딩

이제는 우리가 주인공!

고선희 김미희 김성준 서민경 안현숙
오순금 유경애 이영미 황경하

행복누리캠퍼스

발간사

　지금, 우리 손으로 쓴 책 한 권이 우리들의 삶 속으로 다가왔습니다. 여러분의 열정의 알갱이들이 모여 새로운 한해가 시작하는 1월에 출간되는 책을 축하드립니다.

　이 책은 단순히 종이와 잉크로 이루어진 것이 아닙니다. 이 책은 여러분의 노력과 열정, 그리고 마음이 담겨있습니다. 각 페이지는 여러분의 인생에 새로운 장을 열어줄 것입니다.

　책을 출간하는 것은 큰 도전입니다. 많은 시간과 노력이 필요하며, 가끔은 어려움과 저항을 겪게 될 수도 있습니다. 그러나, 이 모든 어려움을 이겨내고 출간을 완수하게 되면 여러분은 새로운 모험을 시작할 수 있습니다.

　여러분의 책은 많은 사람들에게 영감과 용기를 줄 것입니다. 여러분의 글은 사람들의 마음을 움직이고, 그들의 삶에 긍정적인 영향을 미칠 것입니다.

이제 우리는 새로운 시대를 맞이합니다. 여러분의 책은 이 시대를 대표하는 작품이 될 것입니다. 이 책을 통해 여러분은 많은 사람들에게 기쁨과 감동을 선사할 것입니다.

출간을 앞둔 여러분의 마음은 설렘과 기대로 가득할 것입니다. 저는 발간사로 여러분의 출간을 응원하며, 함께 이 책의 성공을 만들어 나갈 것입니다.

마지막으로, 출간을 축하드리며, 여러분의 책이 많은 사람들에게 사랑받고 기억될 수 있도록 최선을 다해 지원하겠습니다. 여러분의 노력과 열정은 훌륭한 작품으로 이어지고, 여러분의 글이 더욱 많은 이들에게 전해질 수 있기를 기대합니다.

행복누리캠퍼스대표
지식창업멘토
안현숙

Tabel
of
Contents

돈이 되는

퍼스널
브랜딩

이제는 우리가
주인공!

고 선희
행복과 성공을 향해 나아가는'방 대표
ko1347@hanmail.net

책과 함께 날다
농부의 아내에서 1인기업가로 변신하다
농사로 건강을 잃어가던 시간, 건강관리로 건강코치가 되다.

"어제와 똑같이 살면서 다른 미래를
기대하는 것은 정신병 초기증세이다."

〈아인슈타인〉

1인기업을 시작하다

새벽에는 무한한 힘이 있다

Build
Your BRAND

새벽을 여는 루틴의 힘

말을 잘할 수 없었기에 어떻게 하면 말을 잘할 수 있을까? 고민을 많이 했었다. 앞에 나가서 얘기하라고 하면 고개 숙이기 바빴고, 누가 물어볼까 봐 눈을 마주치지 않았다. 이런 나를 변화시키게 만든 건 동생의 권유로 새벽 기상을 시작하면서이다. 어릴 적 책과 거리를 두고 지냈던 나는 말과 글을 자유롭게 표현하는 것이 어려웠다. 그러던 중 동생이 보내주는 책을 보며 읽어야겠다고 생각했다. 하지만 독서 습관이 없었기에 책하고 익숙해지기까지는 힘이 들었고, 유튜브라는 영상이 시간투자 대비 나에게 정보를 많이 주는 것 같아서 책보다는 영상으로, 소리로 들으려고 했었다. 어릴 적부터 책을 읽기보다 만들기를 좋아했는데 그 습관은 성장한 후까지도 책을 읽는 것을 대수롭지 않게 생각해서 책하고는 담을 쌓게 되었다. 하지만 책을 읽지 않아서인지 내 생각을 말로, 글로 표현하기가 쉽지 않았다.

이 세상을 살다 보니 내 생각을 글로 표현해야 하고, 말로 표현해야 하는 일이 하루 일의 전부라고 해야 할 정도로 말하고 쓰는 일이 살아가면서 꼭 필요한 것이라는 것을 알게 되었다. 나 혼자 사는 세상이 아니다. 함께 생활하면서 더불어 가는 세상에 나의 감정을 말로 하나하나 표현하는 게 쉽지 않아 주변 사람들에게 도움을 청하게 되는 일이 자주 생겨났다. 한편으로는 미안하기도 하고, 사소한 것까지 잘 썼는지를 물어보면서 고쳐쓰기를 반복하니 '이런 것까지 부탁해야 하나' 하는 마음도 들고 '나는 왜 혼자서는 잘하지 못할까?' 하는 생각에 마음이 편치 않았다. 이런 일이 있다 보니 '이제는 내가 책을 읽고 나를 표현해야겠다'라고 생각했다.

 내 주변에 어떤 사람들이 있을까 가만히 생각해 보니 내 주변엔 책 읽는 사람이 없었다. 그래서인지 나 역시 책 읽을 생각을 하지 못했다. 서울 사는 동생이 책을 다 읽으면 택배로 나에게 보내면서 읽으라고 권해주었는데 그 책을 받고 기분은 좋았다. 왜였을까? 좋은 책이라고 읽어보라고 조언도 해주었는데 막상 한 페이지 읽으면 나도 모르게 눈이 감겨서 자고 있었고 이런 나를 볼 때마다 '나는 원래 책을 좋아하지 않아. 난 만들기가 좋아'라고 속으로 계속 생각하고 있었다. 이런 생각을 하다 보니 나는 책과 점점 더 담을 쌓고 있었는지 모르겠다. 그래도 동생이 보낸 책을 조금씩 읽기는 했으나 아무도 책을 가까이하지 않는 환경 속에서 결국 혼자서는 책과 친해지지 못했다. 그러니 나는 발전이 있었을까? 아니었다.

 이 나이 먹도록 말을 잘할 수 없었던 나는 어떻게 하면 말을 잘할 수 있을지 많이 고민했다. 사람들은 모임을 하면 으레 자기소개를 하는 일도 많고 어쨌든 나서서 이야기해야 하는 일이 잦았지만, 앞으로 나가서 이야기할 때면 고개를 숙이고, 누군가 더 물어볼까 봐 눈을 마주치지 않았다.

나도 앞에서 당당히 말을 맛있고, 조리 있게 말을 하고 싶었다. 이러한 나를 변화하게 만든 것은 동생의 권유로 새벽에 일어나는 습관을 들인 것이 시작이었다.

동생이 다 읽은 책을 보내주면서 집에 책이 한 권 두 권 쌓여갔다. 동생은 책을 많이 읽는구나 생각은 하면서도 '나에게 주어진 하루가 일하면서 읽을 시간이 없네.'라는 말로 위안을 삼고 있었는지도 모르겠다. 그렇게 하루하루 읽지도 않은 책이 쌓여갔다. 그래도 책이 눈앞에 있으니 그날 마음에 드는 책 제목으로 집어 들고는 화장실을 가는 게 습관이 되었다. 그렇게라도 독서 습관이 길러지길 원했다. 비록 억지 습관을 들여가면서도 한 권을 바로 정독하지 못했지만 그렇게 몇 줄이라도 읽다 말기를 반복하다 보니 조금씩이나마 책을 읽게 되었다.

그러면서 책을 사랑하는 사람들과 함께하고 싶어졌고, 독서모임에 참관하고, 그러다 보니 또 책을 쓰고 싶어졌다. 어릴 적 나만의 책을 발간해 보고 싶었던 나의 가슴속에 묻어 두었던 생각이 꼼지락거리는 듯했다. 그 마음이 조금씩 싹을 내려고 준비하고 있었는지 모르겠다. '마음만 있을 뿐 그러기 위해 내가 뭘 하고 있지?' 생각하면서 다시 책을 읽는 양도 속도도 습관도 점점 변화되었다.

내친김에 독서 모임을 시작했다. 매일 새벽 30분이라는 시간을 갖고, 읽은 책을 서로 나눔을 하면서 내 생각과 다른 사람의 생각이 더해졌다. 매일 하다 보니 아침 일어나는 것도 힘들었지만, 책 읽는 게 진도가 나지 않아서 더욱 힘들었다. 그렇지만 다른 사람들과 함께한 약속이기에 지키려고 노력했다.

나는 책 한 권을 진도를 맞춰 다 읽는 것이 힘들었는데 미처 못 읽은 부분은 다른 사람이 이야기 해주면서 책 내용을 더 이해하기 쉬웠다. 아침에 못 일어날 땐 고마운 동생이 먼저 나를 깨워줬다. 이렇게 함께하는 사람들이 있다는 것도 행복했다. 처음에는 함께하자 했던 약속이기에 그 시간을 지키려고 알람을 몇 개씩 맞춰 놓고 새벽을 맞이했다.

처음엔 알람 소리에 맞춰 겨우 일어났는데 언제부턴지 내 몸이 기억하는지 그 시간쯤이 되면 저절로 일어나게 되었다. '새벽아, 잘 있었니?'하고 인사를 나누는 여유까지 생겼다.

그렇게 노력하는데도 일주일에 책 한 권을 다 읽는다는 것은 나에게 너무나 힘든 일이었다. '다른 일들도 많은데 책을 안 읽던 내가 어떻게 읽을 수 있을까?' 하게 된다. '그래, 해보자'라고 다짐하면서도 다 못 읽고 넘어갈 때는 마음이 편치 않았다. 아직도 나에게 변화해서 습관으로 만든다는 것은 쉽지는 않은 일이다. 책을 손에서 안 놓으려고 좋은 습관을 갖춰보겠다고 애쓰고 있다.

예전에는 아침 6시 30분에 일어났었는데 지금은 새벽 5시 전에 일어나기 시작하면서 오롯이 나만의 시간을 갖게 되었다. 그 짧은 시간이 나에게는 특별한 시간이 되어 주었다. 아무도 방해하지 않는 오직 나만의 시간이기 때문이었다. 새벽에 일어나 책을 읽는 시간을 통해 나를 돌아보고, 새로운 도전을 시작할 수 있게 되었다.

곰곰이 생각해 보니 그 시간이 있었기에 지금 내가 여기까지 온 것 같다. 그러던 중 몇몇이 모여서 책을 읽고 읽은 부분 중 왜 그 부분이 좋았는지 나눔을 하기 시작하면서 아침 시간은 내가 성장하는 시간이 되어갔다. 예전에는 한 페이지를 읽기가 힘들었던 나였지만 읽다 보니 한 권이 되고 한 권이 두 권이 되면서 책을 읽는다.

한 권을 다 읽고 나니 그 마음이 어찌나 뿌듯하던지 자존감이 쑥쑥 자라오르는 느낌이었다. 또 다른 모임에선 한 달에 한 번 책 읽은 내용을 소그룹으로 나눠서 이야기하는 시간도 있었다. 책은 읽지만, 그 책의 요약을 얘기하려니 말이 술술 나오지는 않았다. 그런데 소그룹으로 묶어서 같이 나눔을 할 때는 말문이 조금씩 트이기 시작했다. 그렇게 몇 달이 지나니 내 생각을 얘기할 수 있는 정도가 되었기에 그 이후로는 책을 틈나는 대로 읽었다.

일이 바쁘다 보니 책을 읽는 게 쉽지는 않았지만, 한 멘토가 말씀하셨던 것이 생각난다. 내가 '바쁘다, 바쁘다.' 하면 정말 바쁠 것이고, 내가 '할 수 있다.' 하면 할 수 있다고. 이 말은 늘 가슴에 새겨두고 내가 처한 상황에서 긍정의 마음으로 생각하려고 노력하고 또 노력한다.

새벽 습관은 나의 삶을 서서히 변화시켰고, 앞으로도 변할 것을 믿어 의심치 않는다. 새로운 도전을 하고자 하는 사람들에게는 새벽 기상을 하며 자기 계발을 하는 것은 자신에게 큰 도움이 될 것이다. 여러분도 도전해 보시라고 권한다. 새벽 시간 내 주변에 아무 소리도 들리지 않고, 적막한 기운이 감도는 그 시간에 나 혼자 있다.

오직 나만의 시간. 이 시간을 즐겨보시길 바란다. 아침 긍정확언으로 하루를 시작하면서…

아침 새벽에 일어나서 나는 무엇을 하고 있나? 한 번쯤 생각해 본 적 있나요? 많은 사람이 그러하듯이 나 역시도 아침에 일어나서 똑같은 하루를 시작한다. 매일 아침 나를 위한 시간을 갖는 것을 생각한 적이 없었다. 당연하듯 아이들 등교하기 위해 아침 식사와 학교까지 데려다주기를 반복하며 하루를 보내고 있다.

나를 위한 시간은 언제일까? 나를 위해 무엇을 하는가? 생각하는 시간이 많아졌다. 매일 반복되는 생활이 나를 성장시켜 주지 않는다고 생각해서 무엇이든 해보자, 생각했다. 나를 위해 투자를 해야 한다. 평생 공부해야 한다는 말이 가슴에 와닿았다. 역행자 책을 읽으면서 두 시간 책 읽고, 두 시간 글을 썼다고 했는데 책 읽는 게 전부는 아니고, 책 내용 중 한 줄을 읽더라도 나의 생각을 표현할 줄 알아야 한다. 나를 위해 목표를 세우고, 긍정적인 생각을 하고, 좋은 생각을 하고, 그리고 미소를 잃지 말자.

목표를 이뤄가는 새벽 기상

일할 때 활기찬 기분을 얻고 싶고 강의와 책을 통해 지식과 정보를 얻고자 새벽에 일어나기 시작했다. 2021년 12월부터 함께 책 나눔을 하기로 하면서 새벽 기상은 더욱 의미 있는 시간이 되었다. 그러다 보니 사람들과 함께 책을 읽고 나눔을 하는 새벽 시간은 그 시간이 매일매일 기다려지기까지 했다.

다음 해 2022년 1월 1일부터 김미경의 굿짹으로 하루를 시작했다. 그 시간을 또 동생이 초대해 주었고, 새벽 김미경의 굿짹을 시작으로 1년을 보내면서 독서 모임을 하고, 나눔도 하고, 같은 결을 가진 사람들끼리 오픈카톡방에서 모이기 시작했다. 나는 책을 읽고 책을 읽은 내용을 요약하고 같이 나누면서 얘기를 하고 싶어서 참여했는데 이것을 계기로 오픈카톡방에서 활발히 생활하고 있었다.

오프라인이 아닌 온라인생활을 말이다. 오프라인에서는 일상생활을 이어갔고, 새벽에 온라인 세상을 만났다. '노마드로 살아가기, 모바일 랜드, 온라인에 내 건물을 세우자.' 등 이야기하면서 온라인에서의 또 다른 세상과 만났다. 만날 사람은 다 만나는 것 같다.

새벽에 깨어나서 목표를 이루고 성공하는 사람들을 책에서 유튜브에서 보았다. 나도 그렇게 되고 싶어서 그래서 시도해 본다. 똑같이 시작해도 누구는 앞서가고, 누구는 뒤서기 마련인데 너무 조급해 하지도 말고, 적당히 나의 페이스를 맞춰가야 한다.

'원씽' 책을 보면 도미노 이론이 소개되는데, 이 이론은 작은 것이 큰 것을 무너뜨리기 위해서는 처음에 작은 한 발이 필요하다는 사실을 말하고 있다. 그렇게 큰일을 하게 되는 데 작은 힘이 필요하듯이 새벽 기상이라고 해서 다음 날 또 그 시간에 일어날 수 있는 것은 아니다. 이것을 가능하게 하는 것은 반복과 정신력이다.

아침에 일어나기 싫을 때는 '5초의 법칙'을 생각하면서 일어난다. '5, 4, 3, 2, 1. 기상!'이라고 세어보면서 말이다. 모든 해답이 책 속에 담겨있다. 그렇게 새벽 기상을 하면서 책과 더 친해진 것 같은 느낌을 받는다. 또한, "훔쳐라! 아티스트처럼"이라는 책에서도 처음 시작이 중요하다는 내용이 있다. 처음을 시작해야 큰일도 해낸다는 것이다. 이 책에서 예술은 도둑질이라고도 표현하는데, 다른 사람의 작품이나 행동을 따라 하면서 습관을 기를 수도 있다. 더욱 노력하여 발전하기도 한다. 책을 읽으면서 나의 생각과 습관을 바꾸기 시작하는 계기가 되어서 참 좋다.

매일 아침 하루를 시작하기 전에 감사일기를 쓰는 것을 시작했고, 감사일기를 쓰면서 조금씩 긍정적으로 생각하게 되었다. 깨어나는 것 자체도 감사했고, 상쾌한 아침도 감사했고, 자연이 주는 선물 자체로도 감사했다. 감사일기를 매일 쓰다 보니 언제부턴가 내 입속에서 '감사합니다' 하고 습관처럼 말이 나오기도 한다.

새벽 습관 챌린지를 하며 매일을 '하루 루틴' 만들기를 하며, 하루를 시작해야 한다. 새벽 습관을 시작하기는 쉽지 않지만, 꾸준한 노력으로 충분히 가능하다.

다음과 같이 새벽 습관을 시작해서 목표를 이루어가는 삶을 살아가 보자.

작은 목표부터 시작하면 성공할 확률이 높다. 하루에 10분 만이라도 책을 읽거나 글을 쓰는 등 작은 목표부터 시작하는 것이 좋다. '작은 목표 잡기' 예를 들어보자.

〈독서〉
정보 및 지식을 습득하기 위해 책을 읽어야 한다.
〈글쓰기〉
글을 쓰는 것은 소통을 위해 필요하다.

<명상>
명상을 하면서 나를 들여다보는 시간을 가져야 한다.
<운동>
활기찬 인생을 살기 위해 꼭 필요한 것이다.
<긍정 확언>
생각이 바뀌면 몸도 바뀐다.
<자기계발>
나를 성장시키기 위해서는 꾸준히 해야 한다.

내가 달성하고자 하는 큰 목표를 작성하고, 그것을 세분화하여 작은 단계로 이렇게 하면 목표에 대한 집중력이 높아지고, 단계적인 성취감을 느낄 수 있다. 목표 없이 하루를 보내면 이루어 낸 것이 없이 매일 쳇바퀴 돌 듯 도는 인생이 된다. 그러므로 목표 설정이 중요하다.

나는 매일 아침 거울 앞에서 긍정의 자기 확언을 실천하고 있다. 이렇게 하면 자신감을 높이고 내면 깊숙이 움츠리고 있던 힘을 발휘할 수 있다. 긍정적인 자기 대화는 나의 성장과 발전에 큰 도움이 되는 것을 알게 되었다. 거기다가 거울 속 내 표정을 살펴보며, 내 얼굴이 어떤 표정을 지고 있는지 확인하는 것도 잊지 않는다. 미소를 잃지 않기 위해 오늘도 미소를 지어본다. 심지어 무표정일 때도 미소 띤 얼굴로 만들기 위해 미소를 지어 보는 것이다.

나는 자기계발을 위해 아직도 조금 버겁기는 하지만 독서를 계속하는 중이고 계속 새로운 책을 읽거나 유튜브 영상을 시청하며 지식을 쌓고, 그것을 실제로 적용해 보려고 노력하고 있다.

이른 아침, 즉 새벽부터 명상과 자기계발을 통해 나를 성장시키고, 내 목표를 이루기 위해 나만의 시간을 갖고 명확한 목표를 정의하며, 긍정적인 마인드셋과 자기 대화를 유지하면서 나를 성장시키고 내가 원하는 삶을 살아가기 위해 노력하고 있다.

올빼미형에서 아침형으로 바뀌면서 인생관도 조금씩 변하게 되었다. 늦은 밤 혼자만의 시간에 내가 하고 싶은 걸 하지만 막상 아침이 되면 힘이 들었다. 그래서 하루를 힘들게 보내게 되었다. 하지만 아침형으로 변하면서 점차 밤보다는 아침에 더 많은 활동과 에너지를 쏟게 되어, 내 하루가 조금 더 길어진 듯한 느낌이 든다.

일어나자마자 감사일기를 쓰고, 잠시 3분 동안 명상하고 책을 낭독하며 읽으면서 매일 매일 새로운 날을 맞이하고 있다. 이제는 내가 원하는 것들을 위해 더 많은 시간과 노력을 투자할 수 있게 되었다. 새로운 모험과 도전을 기다리며, 아침형으로서의 인생을 즐기고 있다. 좋은 습관을 만들게 되니 자신의 목표를 달성하거나, 새로운 지식과 정보를 습득하거나, 삶의 만족도를 향상해 나가고 있다. 여러분도 자신에게 맞는 새벽 습관을 찾아 꾸준히 실천해 보길 바란다.

새벽에는 무한한 힘이 있다.

새벽에는 무한한 힘이 있다는 것을 절실히 느끼고 있다.

독서가 나의 스승

Build
Your BRAND

독서가 주는 선물

내가 왜 책을 읽어야 하는지 필요한 순간이 있었기에 책과 친해지고 싶었지만, 주변에서 유혹하는 것들이 많아서 결혼 전에는 생각도 못 했던 것을 결혼해서 아이들을 낳으니 내가 못 한 걸 아이들에게 해주고 싶었는지 모르겠다. 첫애 낳고 전집을 사고 읽어주었다. 뱃속에서부터 초등학생이 되었을 때까지 책을 읽어주고, 좋은 생각을 하려고 했고, 안 듣던 클래식도 들으면서 나의 아기에게 최선을 다했다. 초등학생이 된 아이에게 내가 꼭 하라고 하는 게 두 가지가 있었다. 독서록과 일기는 꼭 쓰라고 했다. 지금 생각하면 부모라는 이름 하에 아이들에게 강압적으로 했던 것 같아 미안한 마음이 든다.

책 속에는 지식과 인지력을 넓혀주며, 창의력과 상상력을 키워주고 우리에게 새로운 세계를 열어주고, 다양한 인생 이야기와 사고방식을 체험할 수 있게 해준다. 내가 경험하지 못한 것도 책을 읽으면서 상상의 나래를 펼치면서 새로운 아이디어가 떠오르게 된다.

독서가 나의 인생이 바꾸었듯, 책이 나에게 무한한 선물을 안겨주었고, 더 많은 선물을 줄 것이라 생각한다. 책을 통해서 우리는 다른 사람의 경험과 지식을 나누고, 새로운 아이디어와 시각을 얻을 수 있고 다양한 분야의 지식과 정보를 습득할 수 있다. 책을 통해 세상에 대한 이해를 넓힐 뿐만 아니라, 자기 자신과 타인을 이해하는 데에도 도움을 받을 수 있고, 상상력과 창의력을 자극하여 새로운 아이디어와 해결책을 찾을 수 있는 기반이 될 것이다. 사고력과 이해력, 인지력을 향상하고 다양한 정보와 지식을 습득하고, 이를 통해 문제 해결 능력을 향상할 수 있다. 책을 읽으면서 생각을 하고, 언어 실력과 읽기 능력을 향상하는 데에도 긍정적인 영향을 미친다. 책은 의사소통 능력과 사고력을 업그레이드해 주고, 더 나은 결과를 끌어내는 데 도움을 준다. 그래서 책과 더 친해지고 싶다.

독서가 나에게 준 선물은 독서로 인해서 긍정적인 생각과 말하기, 글쓰기가 조금 나아졌고, 비록 한 번에 다 변할 수는 없지만 매일 반복하면서 실천하다 보니 변해가고 있다. 그러기 위해서는 꼭 필요한 것이 책 읽기이고, 책을 읽으면서 나의 생각과 타인의 생각을 함께 공유하는 것이라 생각하고, 그것을 꾸준히 하는 것이다.

독서로 알아가는 세상

독서는 단순한 활동이 아니다. 지식을 확장하고, 인지력을 향상하며, 창의성과 상상력을 키우는 혁신적인 여정 그것은 새로운 세계의 문을 열어주는 힘을 가지고 있으며, 우리가 다양한 삶의 이야기에 몰입하고 다양한 사고방식을 포용할 수 있게 해준다. 독서 습관으로 나의 삶에 깊은 영향을 받은 사람으로서 나는 독서가 우리에게 부여하는 셀 수 없이 많은 선물을 받은 것 같아 참 행복하다. 책은 경험, 지식, 수많은 아이디어와 관점을 공유하는 통로 역할하고, 세상에 대한 이해를 지속해서 풍부하게 한다. 나는 가끔 이런 생각을 한다. 며칠 내내 책만 읽어보고 싶을 때도 있었는데 시간이 흘러가는 것이 아까웠다. 책을 읽고 싶은 간절한 마음이 들 때도 있었는데 왜 시간이 빨리 지나는지 야속할 때도 있었다.

독서는 단순한 정보 축적을 넘어서서 개인적, 지적 성장을 위한 촉매제 역할을 한다. 통찰력을 탐구함으로써 우리는 시야를 넓힐 뿐만 아니라 새로운 아이디어 탐구와 혁신적인 솔루션 생성을 위한 토대를 마련한다. 상상력과 창의성을 자극하고, 새로운 개념을 수용하고 기존의 경계를 초월할 수 있는 사고방식을 키워주는 독서를 안 할 이유가 없고, 평생 해야만 한다.

우리의 사고 과정을 형성하고, 이해를 강화하며, 문제 해결 능력을 키워주고, 다양한 분야의 정보를 지속해서 습득함으로써 사고방식이 달라지면 그것이 곧 나의 소중한 자산이 된다.

언어와 의사소통 능력까지 확장해주고, 글을 쓰다 보면 생각이 바뀌고, 언어 능력이 향상되고 말하기 및 쓰기 능력이 향상될 것이다. 문학에서 발견되는 미묘한 표현은 우리가 생각과 아이디어를 표현하는 방식에 영향을 미친다. 독서는 향상된 의사소통을 위한 촉매제가 되며, 더 명확한 표현을 촉진하고 다른 사람들과의 더 효과적인 상호 작용을 촉진한다.

나 자신의 경험을 되돌아보면, 독서가 나에게 부여한 실질적인 선물 중 하나는 말하기 및 쓰기 능력이 눈에 띄게 향상되었다는 것이다. 그리고 책

속에 지혜가 있어서 그 지혜를 내가 발휘하도록 평생토록 책을 읽고 배워 나갈 것이다. 변화는 즉각적이지는 않지만, 꾸준히 독서를 실천하면 점차 변화될 것이고, 매일의 노력이 시간이 지남에 따라 자기 자신이 개선될 것이다. 독서는 계속해서 베풀어주는 다각적인 선물이다. 내가 능력을 향상하며, 언어 능력을 습득함으로써 책의 세계로의 여행은 끊임없는 모험이며 통찰력, 아이디어 및 관점이 지속해서 유입된다. 독서를 통해 우리는 지식을 축적할 뿐만 아니라 변화를 수용하고 삶의 도전에 맞서 탄력적으로 대처하는 사고방식을 알게 되고, 나에게 미치는 심오한 영향을 인식하면서 독서라는 선물에 감사하다.

책을 읽으면서 나도 다른 작가들처럼 책을 낼 수 있을까? 배운 사람만이 하는 게 아닌가? 많은 생각을 하게 되었을 즈음 공저를 같이해 보자고 제안이 왔는데 두근거리는 내 마음을 부여잡고 같이 하고 싶다고 용기를 냈었다. 하지만 첫 공저가 취소되었다. 공저란 함께이기에 혼자 한다고 되는 것이 아니다. 같이 하는 사람들이 각자의 일에서 바쁘다 보니 시간을 지체하고 말았다. 최선의 방법은 다음에 하기로 했다. 그 첫 선택의 취소가 나에게는 잘하지 못한 한편의 안도와 계속 밀고 나가지 하는 또 다른 마음이 나를 힘들게 했다. 시간이 약이라고 했는데 잠깐 잊고 있었는데 또다시 공저라는 말이 내 귓가에 들려오고 있었다. 하고 싶어도 용기가 나지 않았다. 잘할 수 있을까? 하는 생각이 내 머릿속에서 맴돌고 있었기에…

자꾸 공저라는 말이 들리기에 이번에는 놓고 싶지 않았다. 어떻게 써야 할지 두근거리지만, 그 순간은 나에게 희망의 끈을 놓지 말라고 계속 잡아당기고 있듯이 쓰고 싶고, 잘하고 싶고, 잘 살고 싶었다. 간절하면 이루어진다고 마음속에 자리 잡고 있던 내 목표 하나가 올해 2023년도에 이루어진다. 야호~ 초고를 쓰다가 말다가 하면서 이번에도 포기하려고 했다. 멘토님이 응원해 주셔서 다시 용기를 내게 되었다. 이것을 포기하면 다른 것도 포기할 것 같았다. 그래서 도전하기로 했다. 지금은 비록 형편없겠지만 이게 나의 흑역사가 되길 바라본다. 그리고 내가 목표를 했던 것 하나하나 이루어지길 소망해 본다.

모바일랜드

Build
Your BRAND

또 다른 세상에 들어가기

오프라인에서 온라인 세상으로 들어간 지는 얼마 되지 않았다. 이 무슨 세상인가? 같이 나아가지 않으면 도태될 것 같았고, 빠르게 변해가는 세상 그곳에 발이라도 들여놓자고 생각했다.

새벽에 김미경의 굿짹을 들으면서 나를 다잡기 시작했다. 새벽 모임을 시작으로 저녁에는 오픈카톡방을 이방, 저방으로 옮겨 다니기 시작했다. 오픈카톡방에서 하는 홍보를 보며 내가 들어보고 싶은 시간에 들어가서 무료 줌 강의를 들으면서 오만가지 생각이 들었다. 이런 날이 1년이 넘다 보니 가족들이 집에 오면 아침, 저녁으로 "하루 종일 컴퓨터와 책상에만 앉아있다."고 하면서 한마디씩 하곤 했다. 말은 그렇게 해도 하라고 조용히 각자의 방으로 간다. 온라인 세상에서 사람들을 만난 인연이 오프라인에서까지 만남이 이루어졌다. 제주에 오면 연락하시라고 했는데 정말 전화가 와서 만나서 얘기도 하고, 함께 오름도 갔다. 좋은 사람들과의 인연이 감사하다.

온라인 세계에 들어오면서 폴더폰이 생각이 났다. 폴더폰에서 스마트폰으로 바뀔 때 어른들은 아니 나 역시 폴더폰을 고집했던 기억이 있는데 지금 현시점도 누구는 오프라인에서 누구는 온라인 세상에서 N잡을 하고 있다. 나 역시 도태되지 않기 위해서, 배우는 게 좋아서, 노력하는 N잡러이고 싶어서, 오늘도 나는 컴퓨터 책상에 앉는다.

스마트폰은 들고 다니는 PC, 그리고 이제는 나의 전부이다. 노트북과 스마트폰 하나이면 언제 어디서든 일할 수 있고, 즐길 수 있고, 볼 수 있는 나만의 저장 창고이다.

검색할 때도 이제는 검색창을 이용하지 않고 바로 유튜브로 검색하는 사람들이 많아졌다.

나는 호기심이 많은 편이었는데 다른 사람들은 어떻게 이런 걸 만들까? 고민하게 되었다. 연예인들만 찍는 줄 알았던 방송이 이제는 개인 방송으로 브이로그, 공부방송, 정보방송, 음악방송, 주식, 책 읽어주는 방송 등등 무한히 많다. 내 물건을 홈쇼핑처럼 팔고도 싶었다. 어떻게 하면 될까? 하는 사람들은 다 잘하고 있는데 나만 못하는 것 같아서 배우고 싶었다. 하나 배우면 또 하나가 필요하고 도미노처럼 함께해야 시너지가 크다는 걸 알게 되었다.

유튜브를 하고 싶어서 시도는 해봤는데 처음 떨리는 가슴을 붙들어 매고 나도 모르겠다 생각하고 시도했다. 컨셉이 정해져 있지 않은 상태에서 하려니 이것도 저것도 아니었다.

잘하는 사람들을 보면서 부럽다고만 생각한 게 아니라 어떻게 해야 할까? 대본은 어떻게 써서 하는가? 혼자 찍고 있는가? 등등 무수히 많은 질문이 내 머릿속을 헤집고 다녔다. 유튜브를 보면서 나도 이곳 모바일에 내 랜드를 만들고 싶었다. 누구나 한다고 하지만 누구는 시도도 못 해보는 유튜브 크리에이터가 되고 싶었다. 내 정보를 알려주고, 내 물건을 판매하고, 내 이야기를 하는 그곳 유튜브에!

유튜브는 TV 채널 재방송도, 3사 방송국이 아닌 다른 채널들도 볼 수가 있고, 자기계발, 경제, 뉴스, 등 무수히 많은 영상이 올라온다. 그곳에서 구독이라는 기능이 있어서 내가 구독한 영상들이 새로운 영상을 올릴 때마다 먼저 보여주니 구독경제라는 말이 나오기 시작하면서 조금 더 깊은 내용은 구독경제를 하면 일반인이 아닌 회원들만 보는 전용 구간도 생겨났다. 빠르게 변해가는 세상에 함께 하려면 나 역시 그곳에 발을 들여야 한다. 아직 내 주변에서는 잘 몰라서 내가 하는 것이 아무것도 아닌 것처럼 느껴질 것이다. 하지만 하나하나가 쌓여서 건물을 올리듯 나 역시 지금은 시작이고, 앞으로 정진해 갈 것이다. 이렇게 되기까지 세바시, 김미경 TV, 켈리 최, 독서 채널을 보면서 긍정적인 생각과 새벽기상, 명상, 독서, 캔바, 독서 모임을 알게 되었다. 유튜브에도 자료들이 많지만, 오픈카톡방에 무료 강의가 많이 있었고, 챌린지가 많았다. 챌린지를 하면서 유튜브를 시작하게 되었고, 나만의 콘텐츠를 찾게 되었다.

새벽마다 책을 읽어주는 오픈카톡방에서 1인 지식기업가이면서 메신저인 안현숙 대표님을 만나게 되었다. 안 대표님의 오픈카톡방에서 무료 특강을 듣고 릴레이 추첨을 해서 당첨의 기회로 책 선물을 받았다. 나는 그 보답으로 직접 수확하는 황금향도 나눌 수 있었다. 받은 책을 읽으면서 1인 지식기업가가 뭘까? 궁금해졌다. 그래서 오픈카톡방에서 성장하는 다른 사람들을 보고 또 선물 받은 책 내용 중에 60대도 했는데 나도 할 수 있을 것 같아서 그곳에 합류하게 되었다. 당장 콘텐츠가 없어도 배우면서 만들면서 해도 가능하다고 해서 무작정 발을 들여놓았다. 정말 간절하게 변하고 싶었기 때문에 이 선택을 했다.

저녁에 강의를 듣다 보니 배워야 할 게 많았다. 내 인생을 누가 책임져주지 않는다. 나 스스로 변해야 한다. 영상을 올리려면 배워야 할 게 많았다. 디자인이며 글이며 영상편집. 너무 하고 싶었다. 릴스, 틱톡, 쇼츠를 하면서 홈쇼핑처럼 내 상품 내가 직접 판매하는 숏폼들도 많이 생겨나고, 나의 목소리로 콘텐츠가 될 수도 있다고 생각했다. 멘토가 하는 말이 있었다. "책을 읽어라. 책 속에 답이 있다. 책을 읽고 책을 내야 한다. 책을 내서 나를 알려야 한다"라고 말씀해 주셨다. 1인기업, 1인지식창업, 디지털 노마드, 프리랜서로 노트북만 있으면 어디서든 가능한 모바일 랜드에 나만의 랜드를 만들어 보고 싶다.

유튜브를 시작하고 싶어서 강의를 듣고 챌린지를 시작하면서 알게 되었는데, 유튜브를 하려면 컨셉을 먼저 정해야 한다는 사실을 깨달았다. 핸드폰만 있으면 유튜브를 시작할 수 있다고 생각했지만 배워야 할 것이 정말 많다는 것을 알았다. 핸드폰만 가지고 찍는 사람들도 있지만, 컨셉을 잡고 찍는 것은 시각적인 측면에서 클릭을 유도할 수 있는 중요한 요소라는 것을 챌린지를 하며 알게 되었다. 그래서 저녁에 줌 강의를 들으면서 배운 것들과 챌린지를 통해 얻은 지식을 하나로 합쳐 유튜브 채널을 개설했다. '배워서 남 주자!' 내가 시도하면 될 것을, 책 속의 문장이다. '실행이 답이다' 라는 책을 읽으면서 실행에 옮기려고 노력했다.

하나씩 배워나가면서 배워도 실행하지 않으면 내 것으로 소화되지 않는다는 것을 알았다. 그래서요! 실행에 옮겨야 한다는 결론에 도달했습니다. 5%만 준비되어도 실행하라는 말처럼, 아무것도 하지 않으면 아무것도 얻을 수 없다는 것을 깨달았다. 머릿속만 채우는 것이 아니라 손과 발도 같이 움직여야 한다는 것도 알았다. 그렇게 하면 하나가 되어 어떤 일도 이룰 수 있을 거라고 믿는다.

유튜브 영상 올리는 것이 쉽지만은 않지만, 챌린지에서 알려준 것처럼 하나하나 벤치마킹하면서 내 컨텐츠에 맞게 편집하고 영상을 만들고, 목소리를 녹음하고 완성된 영상을 보면 왠지 모르게 뿌듯하다. 이런 영상을 나 혼자가 아닌 다른 누군가에게 전달 할 수 있다는 것에 혼자 뿌듯해한다. 하루에 한 영상은 만들려고 하는데 아직 구독자가 많지 않고, 조회수가 높지는 않지만, 나의 영상이 천 회를 넘어갈 때 정말 나의 감정은 이루 말할 수 없었다.

'나도 할 수 있다!' 라는 생각에…. 이제 도전이라는 두 단어를 가슴에만 새겨두지 않을 것이다.

온라인 세상에서 정말 열심히 하는 분들이 나이 불문하고 많은데 배우려는 열정이 남다르다. 좋은 사람들을 만나 이야기 나누고, 함께 나아가기 위해 노력하는 모습들을 보니 나 또한 가만히 있을 수 없다. 나도 노력하고자 열심히 배우고 실행하고 있다.

챌린지를 함께하는데 정말 열심히 한다. 실행해야 한다고 책에서 보고, 듣고를 했지만 내가 배운 것을 해보기 전까지는 나도 할 수 있을 듯했다. 막상 해보니 막히기를 반복하면서 '아, 내가 해 봐야 알수 있는 것이구나.' 라고 느꼈다. 유튜브를 하다보니 내가 더 배워가는 듯하다.

새벽에 강의 듣고 낮에 틈날 때마다 책 읽어주는 유튜버를 구독하고 보고 있었고, 긍정적인 영상들로 보려고 노력하다 보니 여기까지 왔다. 처음으로 책을 쓰는 나 자신에게 잘해 왔고, 잘하고 있다고 칭찬해 주고 싶다.

나는 나 자신에게 칭찬을 해 줘 본 적이 없었는데 긍정적인 생각과 「더 해빙」, 「부자의 운」을 읽으면서 나를 돌아보며 나에게 격려를 해주었다. 내가 현재 무엇을 보고 듣고 있는지, 내 주변 사람들이 누구인지에 따라 내 인생이 바뀌겠다는 것을 오늘도 나는 '운이 좋다.'를 외쳐보며 글을 마친다.

김 미 희
김미희 자가치유센터 대표
hhone0301@naver.com

교사, 장학사, 연구사, 교감, 교장으로 37년 동안 초등학교
교단에서 많은 아이와 부모를 만났다. 아이들의 행복한 성장을
위해서 부모의 역할이 가장 중요함을 깨닫고, 그동안의
경험과 배움을 바탕으로 '초등엄마수업'을 출간하여 부모
교육을 했다. 부모 교육에 힘쓰는 부모교육 전문가이며,
스스로 몸과 마음을 치유하게 하여 행복한 삶을 살게 도와
주는 라이프코치다.

"거인의 어깨 위에 올라서라."

〈마이클 J. 겔브〉

혹시, 내 아이가 느린학습자?

느린학습자 초등 1학년 아이, 그대로 두면 어떻게 될까?

초등 1학년 느린학습자의 세계

Build
Your BRAND

올해도 교장선생님과 행복한 시간 갖게 해주세요

새 학년이 시작되고 이틀이 지났을 때였다. 누군가 교장실 문을 급하게 두드렸다. 1주일에 1시간씩 교장실에서 지도하던 온유였다. 아이는 근심 가득한 얼굴로 간절하게 말했다.

"교장선생님! 올해도 교장선생님과 행복한 시간 가질 수 있게 저희 선생님께 말해주세요."

나는 간절하게 말하는 온유가 반가웠다. 그렇지 않아도 계속 지도할 수 있도록 담임선생님께 말하려고 했었다. 온유를 만난 것은 9월의 뜨거운 어느 여름날이었다. 학교에는 수업 시간에 무기력하거나 정서 및 행동장애로 한 시간 한 시간을 힘겹게 보내는 아이들이 있다. 이 아이들은 수업 시간에 화장실이나 보건실을 들락날락했다. 심지어는 교실 밖을 그냥 뛰쳐나오기도 했다. 온유는 그들 중 한 명으로 느린학습자였다. 나는 이 아이들을 도와주고 싶었다. 아이들을 만나 그 마음을 헤아려 주고 싶었다. 내가 그런 아이였었기 때문이다.

나는 초등학교 2학년 때 일어날 수 없는 병에 걸렸었다. 어떤 병원에서도 나의 병명을 몰랐다. 혼자 장사하는 엄마가 일어나지 못하는 나를 돌보기 어려웠다. 그래서 나와 동생은 시골 외가에서 살았다. 학교에 다닐 수 없었던 내게 시장 어귀에 있는 작은 만화방이 나의 교실이었다. 할머니나 이모가 업어서 나를 만화방에 데려다주었다. 그곳에서 만화 속의 주인공들과 하루하루를 보냈다.

어느 날 이모에게 업혀 만화방으로 가던 길이었다. 한 아저씨가 우리를 불렀다. 나를 보더니 병명을 말해주었다. 조금만 더 그대로 두면 죽는다고 했다. 아저씨는 그 자리에서 칼로 내 손바닥 안쪽을 쨌다. 손바닥에서 비지 같은 것이 나왔다. 그 후로 그분이 알려주신 대로 했더니, 3학년 때 다시 일어설 수 있었다. 몸이 점점 나아져 한 걸음씩 떼고, 걷게 되었다. 만약 그분을 만나지 못했다면 이 세상에 없을 것이다. 지금은 덤으로 사는 인생을 살고 있다. 그때만 생각하면 감사가 저절로 나온다.

그렇게 만화방만 다니고 학교를 못 다녔으니 공부를 잘할 리 없었다. 나는 소위 학습부진아였다. 구구단을 알아야 곱셈도, 나눗셈도 한다. 그런데 나는 구구단도 외우지 못하니 공부가 힘들었다. 그런 나였지만 엄마가 나를 믿고 지지해 주어 자존감은 높았다. 또한 좋은 선생님들을 만나 교사가 될 수 있었고, 교사의 꽃이라는 교장도 될 수 있었다. 교장이 되어 모든 아이가 행복하게 웃으며 교육받을 수 있도록 지원하려고 노력했다. 교대의 기초학력지원센터 외부 전문가 위원으로 활동한 것도 한 아이도 놓치고 싶지 않아서였다.

아이들이 공부 시간을 힘들어하는 이유가 있다. 그 아이들은 매 순간 긴장하며 살고 있다. 부모와 교사가 빨리 그 원인을 찾아 처방을 내려줘야, 숨을 쉬고 살 수 있다. 그런데 안타까운 것은 "늦되어서 그래.", "나도 어릴 때 그랬어.", "크면 좋아질 거야."라며 중요한 시기를 놓쳐버린다. 만약 초등학교 1학년 때 느린학습자 아이의 세계를 이해하지 않고 그대로 두면, 아이는 어떻게 될까?

초등학교 1학년 느린학습자의 세계

느린학습자란 다른 말로 '경계선 지능'을 가진 사람이다. 웩슬러 지능검사에서 71~84의 지능과 사회적 어려움을 겪을 때 느린학습자로 진단한다. 미국의 지적발달장애협의회에서는 *"지적장애 진단 기준보다는 높지만, 평균 지능에는 미치지 못하는 지능지수를 가지고, 지적장애를 가진 사람들이 겪는 것과 유사한 사회적 어려움을 겪는 사람들"*이라고 정의했다. 선천적이거나 지속적인 교육과 돌봄의 결핍이 원인이다.

〈대한민국 정책브리핑(www.korea.kr)2022.10.28.〉에서 *"한국 인구의 약 14%가 느린학습자로 추정된다. 하지만 장애와 비장애의 경계에 위치해 특수교육과 일반교육 어디에도 속하지 못하고 부처별·기관별로 사업이 분절적으로 추진되다 보니 지원 대상이 중복·배제되는 문제 등이 발생하고 있다."* 교육부 차관보는 *"느린학습자 지원을 위해서는 무엇보다도 조기 발견과 맞춤형 지원이 중요하다."*고 했다.

14%라면 100명 중 14명이 느린학습자다. 학급당 20명의 학생이 있다면 2~3명의 학생이 느린학습자라는 말이다. 결코 적은 수가 아니다. 그러

나 아직도 '느린학습자'는 생소한 개념이다. 만약 이 아이들에게 일반 아이들과 같은 수준의 교육을 한다면 어떤 일이 벌어질까? 무엇보다 부모가 어렸을 때 빨리 발견해야 한다. 그리고 어떻게 지원해야 할지 고민해야 한다. 늦었지만 국가에서 느린학습자에 대해 관심을 가지고 지원 방법을 찾고 있어 다행이다.

〈국민일보, 2023.10.23.〉 보도에 따르면 "경계선 지능으로 상담과 지원을 받는 서울지역 초·중·고 '느린학습자'가 최근 3년 새 5배 이상 증가했다. 난독증으로 상담받는 학생도 같은 기간 7배 넘게 늘었다. 지적장애인과 비장애인의 경계에 있는 느린학습자는 법과 제도의 사각지대에 놓여 있는 경우가 많다. 치료를 제때 받지 않으면 일상생활의 어려움과 학습 부진을 겪을 수 있다.'고 했다.

현재 느린학습자는 어른들의 무지와 방관으로 어려움을 겪고 있다. 이래도 그냥 시간이 가면 저절로 나아질 것이라고 믿는가?

얼마 전 "'느린학습자도' 도 충분히 성장할 수 있어요."란 기사를 보았다. 느린학습자가 체계적인 교육과 훈련으로 당당하게 사회인이 된 내용이다.

"저는 느린학습자입니다. 배움의 속도가 느리지만 경계선 지능 교육 프로그램을 통한 맞춤형 수업과 상담을 한 턱분에 당당한 사회인으로 자립했어요. 느린학습자는 배우는 속도가 조금 느릴 뿐 관심과 노력만 있으면 충분히 성장할 수 있다는 것을 대표해서 말씀드리고 싶어요."

느린학습자도 체계적인 교육과 훈련으로 당당한 사회인으로 자립했다.

그러나 많은 느린학습자가 느끼는 것은 바로 다음의 이야기다.

"저는 초등학교 입학 후부터 학교 수업을 따라가기가 벅찼어요. 고학년이 될수록 더 힘들었고, 집중력이 낮아 긴 글을 읽기도 어려웠어요. 의사표현도 서툴고 친구들과 잘 어울리지 못하고 자존감이 낮아 항상 위축돼 있었죠."

느린학습자는 이렇게 하루하루를 버티고 있다. 이 아이들에게 필요한 것은 과연 무엇일까? 어른인 부모와 교사가 빨리 알아채고 맞춤형 지원을 해야 하는 것이 아닐까?

느린학습자의 학습 특성과 강점

느린학습자의 인지적, 정서적, 행동적 특성은 개인마다 다르다. ADHD, 난독증, 학습장애, 아스퍼거증후군, 자폐증상 등도 있다. 그러므로 느린학습자가 가진 고유의 특성을 살펴보며 전문가의 도움을 받아야 한다.

초등 1학년 느린학습자의 특성은 다음과 같다.

- 새로운 개념을 이해하고 기억하는 데 시간이 더 걸린다. 집중을 유지하기 힘들어한다. 배운 내용을 기억하고 필요할 때 회상하는 데 어려움을 느낀다. 아이마다 읽기, 쓰기, 수학, 미술, 체육 등 다양한 부분에서 어려움을 느끼는 영역이 있다. 그러므로 개념을 소화하고 적용하기 위해서는 단계적이고 구조화된 학습을 해야 한다.

– 언어적 또는 비언어적 의사소통에 어려움을 겪을 수 있다. **또래와의 상호작용에서 어려움이나 소외감을 느낄 수 있다. 감정을 표현하고 이해하는 데 어려움을 겪는다.**

– 창의적이며 독특한 해결책을 제시할 수 있다. **어려움을 극복하려는 끈기와 인내심이 강하다. 특정 분야나 활동에서 뛰어난 재능을 보일 수 있다.**

초등 1학년 느린학습자의 세계를 이해하는 것은, 그들의 독특한 능력을 인정하고 적절한 지원을 제공하는 것을 의미한다. 느린학습자가 교육적으로 성공하고 긍정적인 사회적 경험을 가질 수 있도록 도와야 한다.

일상에서 행동과 학습 관찰

일상에서 아이의 행동과 학습을 관찰해야 한다. 아이의 성장과 발달을 이해하고 적절한 지원을 하기 위해 매우 중요하다. 다음은 아이의 행동 및 학습을 관찰하는 몇 가지 방법이다.

– 아이가 놀이, 식사, 대화 등 일상적인 활동을 할 때 자연스럽게 행동하는 모습을 관찰한다. **새로운 상황이나 활동에 어떻게 반응하는지 주의 깊게 관찰한다.**

– 일정한 시간을 정해두고 아이의 행동을 관찰한다. **아이의 행동, 반응, 감정 상태 등을 기록해 둔다. 이는 추후 행동 패턴을 분석하는 데 도움이 된다.**

- 아이가 놀이할 때 어떤 놀이를 선호하는지, 어떻게 문제를 해결하는지 등을 관찰한다. 형제, 친구, 부모와의 상호작용을 관찰한다.

- 아이가 어떤 활동에 집중하는지, 집중력이 얼마나 지속되는지 관찰한다. 어떤 학습 방법을 선호하는지, 어떤 자료에 더 잘 반응하는지 관찰한다.

- 아이의 몸짓, 표정, 눈동자 움직임 등을 통해 아이의 감정 상태를 파악한다. 말이 아닌 방법으로 아이가 자신의 감정이나 욕구를 표현하는 방식을 관찰한다.

느린학습자 진단

느린학습자가 14%라고 하지만 느린학습자 진단검사를 받는 아이는 드물다. 한 학교에 1~2명이 고작이다. 느린학습자는 기본적인 행동이나 대화를 통해서 판별하기는 어렵다. 내가 지도한 아이들의 경우 언어 이해력은 좋으나 공간지각력, 수학 또는 사회성 부분에서 어려워하는 아이들도 있었기 때문이다. 부모와 교사뿐 아니라 전문가가 함께 진단해야 한다. 반드시 공신력 있는 기관에서 검사받아야 한다. 교육청에서는 지능검사뿐만 아니라 종합심리검사로 판단한다.

학교에서는 매년 학부모 동의를 얻어 교육청 주관의 검사를 의뢰한다. 내 아이가 느린학습자로 보인다면 선생님께 검사를 요청해야 한다. 또한 담임선생님이 심사숙고하며 검사받기를 제안하면, 선생님을 오해하지 말고 검사를 받아야 한다.

〈국가기초학력향상지원사이트(http://k-basics.org/)〉의 느린학습자 선별 체크리스트를 참고하여 진단하는 것도 좋은 방법이다.

문 항	그렇지 않다	조금 그렇다	그렇다	매우 그렇다
	1	2	3	4
언어				
1. 단순한 질문에는 대답하지만, 생각해야 하는 질문에는 논리적으로 표현하지 못한다.				
2. 상대방이 말한 의도를 제대로 파악하지 못한다.				
3. 말할 때 적절한 단어를 떠올리지 못해 머뭇거린다.				
4. 구체적으로 지시하지 않으면 엉뚱한 행동을 한다.				
5. 또래보다 어휘력이 부족하다.				
기억력				
6. 오늘 배운 내용을 다음날 물어보면 기억하지 못한다.				
7. 여러 번 반복해도 잘 기억하지 못한다.				
8. 방금 알려주었는데 돌아서면 잊어버린다.				
9. 연속적인 순서를 기억하지 못한다.				
10. 수업시간에 손을 들지만 물어보면 대답을 잊어버린다.				
11. 순서가 있는 활동에서 자신의 차례를 잊어버린다.				
지각				
12. 비슷한 글자나 숫자를 읽을 때 자주 혼동한다.				
13. 상하좌우 등 방향을 혼동한다.				
14. 비슷하게 발음되는 단어들을 듣고 구별하는 데 어려움이 있다.				
15. 간단한 그림이나 도형을 보고 그대로 따라 그리기 어려워한다.				
집중				
16. 과제를 할 때 주의가 산만해진다.				
17. 과제를 할 때 주의집중 시간이 짧다.				
18. 교사의 안내나 지시에 집중하지 못하고 관련 없는 행동을 한다.				
19. 수업시간에 과제에 집중하지 못하고 멍하니 앉아 있다.				
20. 주의집중을 필요로 하는 활동에서 또래보다 쉽게 지친다.				
처리속도				
21. 또래보다 학습 속도가 느리다.				
22. 정해진 시간 내에 과제를 마치지 못한다.				
23. 칠판이나 책에 쓰여 있는 단어나 문장을 노트에 옮겨 적는 데 오래 걸린다.				
총점 (원점수)				점

점수	원점수: 점		
집단 판정	경계선 지능 위험군	경계선 지능 탐색군	일반군
	□	□	□
1학년	64점 이상	58점 이상~64점 미만	58점 미만
2학년	62점 이상	53점 이상~62점 미만	53점 미만
3학년	59점 이상	53점 이상~59점 미만	53점 미만
4학년	60점 이상	54점 이상~60점 미만	54점 미만
5학년	56점 이상	51점 이상~56점 미만	51점 미만
6학년	60점 이상	52점 이상~60점 미만	52점 미만

느린학습자 부모의 사랑과 지원

부모의 인내와 사랑

부모의 인내와 사랑, 긍정적 지지와 무조건적 수용은 느린학습자의 성장에 매우 중요한 역할을 한다.

- 안전하고 지지받는다고 느낀다. 아이의 강점과 좋아하는 것을 인정하고 칭찬하면, 자신 있게 도전하고 노력한다. 학습 과정에서 겪는 스트레스도 줄일 수 있다.

- 아이의 감정을 인정하면, 아이는 감정을 표현하고 조절하는 방법을 배운다. 아이가 겪는 어려움이나 느낌을 이해하기 위해 충분한 시간을 들여 아이의 말에 귀 기울인다. 이는 아이가 타인의 감정을 이해하고 공감하는 능력을 발달시킨다.

- 아이가 노력하는 것에 대해 긍정적으로 피드백한다. 이는 갈등 해결과 신뢰 관계 형성에 매우 도움이 된다.

- 아이가 자신을 긍정적으로 보고 자신감을 갖는다. 아이에게 현실적인 목표를 설정하고, 성취할 때마다 칭찬한다. 스스로 해결책을 찾고 도전하는 데 격려받은 아이는 독립성이 발달한다.

느린학습자 아이들의 학습 스타일에 따른 지원

아이의 학습과 성장을 위해서는 구체적 전략을 세워, 아이가 잠재력을 최대한 발휘하게 한다. 우선 부모가 느린학습자에 관한 공부도 하고 전문가의 지원을 받는다.

- 아이의 강점과 관심사에 초점을 맞춘 맞춤형 학습 계획을
  수립한다.

- 아이가 예측 가능한 일상과 일관된 학습 환경에서 안정감을
  느끼도록 한다.

- 시각적 자료(그림, 차트, 도표 등)를 사용하여 복잡한 개념을
  시각적으로 설명한다.

- 작업을 단계별로 나누고, 각 단계를 시각적으로 표시하여
  이해를 돕는다.

- 쇼핑, 요리, 청소 등 일상 활동을 통해 수학, 과학, 사회적 기술을 자연스럽게 학습한다.

- 아이가 잘하는 것과 관심 갖는 것, 성취한 것에 대해 긍정적인 피드백을 제공한다.

- 자신의 감정을 인식하고 표현하는 데 도움을 준다.

- 아이가 소그룹 활동에 참여하게 한다. 공감, 대화, 차례 기다리기 등 사회적 기술을 실습하고 강화한다.

- 교육앱, 온라인 학습 플랫폼 등을 활용하여 학습 경험을 다양화한다. 교육 전문가, 상담사, 치료사 등과 협력하여 아이의 학습과 성장을 지원한다.

학교와의 소통, 그리고 협력

초등 1학년 느린학습자의 입학 준비

초등 1학년이 되는 느린학습자는 다음과 같이 준비한다.

- 기초 학습 능력 강화: 숫자와 한글에 익숙해지도록 도와준다. 집에서 매일 책을 읽어주거나, 숫자와 글자를 사용하는 간단한 활동을 함께 한다. 그러나 쓰는 연습을 많이 하면 도리어 역효과가 나타날 수 있으므로 주의한다.

- 기본 생활 습관 강조: 개인위생 관리, 옷 정리, 물건 정돈 등 기본적인 생활 습관이 몸에 배도록 한다. 아이가 학교에서도 스스로 할 수 있게 한다.

- 사회적 기술 향상: 친구들과의 놀이나 가족 모임을 통해 차례를 기다리는 법, 기본적으로 대화하는 방법을 역할 놀이 등으로 연습하고 격려한다.

- 일상생활의 루틴: 아침에 일어나서 준비하고, 정해진 시간에 식사하고, 잠자리에 드는 등의 일상적인 루틴을 만들어 준다. 초등학교는 1교시가 40분씩이다. 입학하기 전 일정한 시간표를 따라 의자에 앉는 습관을 들인다.

- 학교 환경과 친숙해지기: 입학하기 전 학교를 방문하여 학교 환경에 대한 두려움을 줄인다. 교실, 놀이터, 화장실 등 학교 시설에 익숙해지도록 한다. 특히 학교에서도 혼자 배변할 수 있도록 충분히 연습시킨다.

- 정서적 지원 제공: 긍정적인 격려와 칭찬을 통해 자신감을 심어준다. 아이가 학교에 대해 느끼는 불안감을 표현하게 하고, 그 마음을 이해해 준다.

- 교사와의 협력: 선생님을 협력자로 생각하여 선생님을 믿는 모습을 아이에게도 보여준다. 선생님을 무서운 사람으로 인식시키지 않도록 주의한다.

담임선생님과 신뢰 형성, 그리고 효과적인 의사소통

선생님은 내 아이를 가까이에서 보살핀다. 선생님과 소통하고 협력해야 나의 아이가 행복한 성장을 할 수 있다. 선생님은 다른 아이들 속에서 내 아이를 객관적으로 볼 수 있는 유일한 사람임을 명심해야 한다. 올해 만난 선생님은 내 아이에게 가장 중요한 만남이라 믿고, 협력해야 한다. 부모가 선생님을 믿지 못하면 아이도 선생님을 믿지 못한다. 결국 불안한 1년을 보내게 된다. 아이의 학교생활의 성공과 실패를 가름하는 것이 바로 선생님과의 소통이며 협력이다.

- 학기가 시작될 때 아이에 관해 소개하고, 특별히 주의해야 할 점 등을 의논한다.

- 선생님과 소통하며 아이의 학교생활을 파악한다.

- 문제가 발생했을 때 교사와 상담하고, 협력하여 해결 방안을 모색한다.

- 아이가 집에서 보이는 행동이나 발달상의 변화에 대해 정보를 제공한다.

- 선생님도 여러 학생을 관리해야 하는 등의 어려움이 있음을 이해하고 존중한다.

- 선생님의 제안이나 조언에 대해 열린 마음으로 받아들이고,
  필요한 경우 상담한다.

나는 학습에 어려움을 겪는 아이들을 보면 어떻게든 도와주고 싶다. 신규교사일 때부터 학습부진 학생들을 남겨 간식을 먹이며 공부시켰다. 나와 같은 어려움을 겪게 하고 싶지 않았기 때문이다. 무엇이 원인인지 진단하고, 부모와 상담하여 남겨서 공부시키곤 했다.

6학년이어도 기초부터 차근차근 공부시키고, 자아존중감을 올려주었다. 그랬더니 자신 있게 학교생활을 했다. 그렇게 공부해서 대학에 입학하고, 인사하러 온 아이도 있었다. 가정에서 공부할 환경이 안 되는 아이들에게는, 하교 후 교실에서 공부할 수 있도록 했다. 교감이 되어서도, 교장이 되어서도 교무실이나 빈 교실에서 아이들을 가르친 이유다. 정서적으로 안정된 아이들은 학교 밖을 배회하지 않았다. 아이들이 힘들어하는 원인이 있다. 그 원인을 찾아 해결해 주어야 한다.

예전에는 다른 방법이 없어 설명 위주로 가르쳤다. 그러나 지금은 뇌과학 시대다. 뇌 기능 훈련을 하며 공부하게 한다. 내가 뇌에 관심을 갖게 된 것은 하루 18개의 약을 먹던 엄마를 살리기 위해 대체의학을 배우면서부터였다. 뇌의 원리를 바탕으로 한 자기치유법이다. 자가치유를 통해 엄마는 18개의 약을 끊고 살 수 있게 되었다. 내 몸 또한 건강을 되찾았다. 그때부터 뇌에 관심을 갖게 되었고, 뇌과학 기반의 뉴로피드백을 알게 되어 국가공인 브레인트레이너 자격증까지 땄다.

온유는 공부 시간에 거의 혼자 책에 낙서만 하며 무기력하게 하루를 보내던 아이였다. 그러나 다행히 온유의 엄마는 선생님과의 소통을 통해 아이가 느린학습자임을 인지했다. 검사도 마다하지 않고 아이를 위해 노력했다. 내가 제안한 뉴로피드백 훈련에도 동의했다. 나와 함께 공부하고 훈련하는 시간도 감사하게 생각했다.

함께 노력한 결과 온유의 불안감과 예민함이 줄어들었다. 좌우뇌도 균형을 이루었다. 마음 편하게 공부했다. 뉴로피드백 훈련도 열심히 한 결과였다. 수학 공부할 때면 수학박사님이라고 자신감 있게 말하는 온유가 기특하다. 교실에서 점차 친구들에게도 관심을 가지고 사이좋게 지내려고 한다. 자신의 꿈인 영화감독이 되기 위해 많은 이야기를 만들었다. 나에게도 들려주었다. 나와 만나면 항상 나의 안부를 물었다. 그리고 나의 마음을 먼저 살펴주는 천사 같은 아이다.

온유를 만난 후 온유를 더 잘 도와주기 위해 느린학습자에 대해 더 공부했다. 그리고 교대 기초학력지원센터 외부 전문가 위원으로 활동했다. 센터에서 만난 아이는 처음 검사하러 와서 울던 아이였다. 사려 깊은 담임선생님의 추천으로 왔다. 나와 라포를 형성하며 편안하게 만났다. 그 아이에게 필요한 공부를 제안하고, 뉴로피드백 훈련도 했다. 부모와도 소통하여 아이가 나를 믿었다. 내게 먹을 것을 먼저 건네주기도 했다. 자기 이야기를 잘 들어주었더니 사회성이 없다던 그 아이는 매번 이야기보따리를 풀어놓았다. 가끔은 어른들이 생각지도 못한 이야기를 하기도 했다. 가장 취약했던 수학에서 점차 안정된 셈하기를 했다.

이렇게 전문적인 훈련으로 좋아지는 아이들이 많다. 공부뿐만이 아니라 정서적으로 많이 안정되었다. 지금은 뇌과학의 시대다. 예전처럼 설명만으로, 학습지 풀이만으로 학습력을 올리는 시대는 아니다. 그러나 안타까운 사실은 느린학습자 14% 중 전문교육을 받는 아이는 몇 명 안 된다는 사실이다. 나머지 아이들은 앞으로 어떻게 될지 걱정된다.

느린학습자의 부모 마음을 그 누가 알 수 있을까? 내 아이가 느린학습자로 느껴지는 순간 부모는 아이의 미래에 대해 걱정하고 불안할 수 있다. 이 상황을 부정하거나 무시하고 싶기도 하다. 유전이나 양육 방식 때문이라고 죄책감을 느끼기도 한다. 무거운 책임을 느끼고 모든 것을 통제하려 하며 스트레스나 과로로 이어질 수도 있다.

그러나 중요하게 알아야 할 사실은 부모가 사랑하여 그 결실로 태어난 아이다. 감사하게 생각해야 한다. 내 아이가 부모를 선택하지 않았다. 이 아이를 부부에게 주신 이유를 생각해야 한다. 이 아이의 독특성을 존중하고 가치 있게 여겨야 한다. 무엇보다 아이에게 무조건적인 사랑과 지지를 보여주어, 아이가 한 생명으로 행복하게 살 수 있도록 양육해야 한다.

그러기 위해 느린학습자의 부모로 살았던 선배들의 경험을 통해, 자신의 감정을 인식하고 적절한 지원을 찾아야 한다. 앞선 느린학습자 부모의 경험 위에서, 좀 더 넓은 눈으로, 희망을 갖고 내 아이를 바라보아야 한다.

내 아이는 그 무엇보다 소중하다.

김 성 준
비즈니스 멘토링 아카데미 센터장
tjdwns082881@naver.com

한국보험금융서비스 메이크원 센터장
한국경제, MTN머니투데이, NBN내외경제 보험방송
보험전문가 활동
보험설계사 영업지원 강사

"무슨 일이든 잘되는 법은 따로 있는 것 같다.
내가 그걸 몰라서 안 된 것뿐."

나도 이 방법으로
보험 영업 매출 2배 올렸다

보험 영업 시작한 지 1년이 지났는데도
아직도 힘들다면?

Build
Your BRAND

나의 영업방식을 뒤돌아본다

보험 영업 시작한 지 1년이 지났는데도 아직도 힘들다? 라는 질문에 전국의 보험 영업하시는 많은 설계사님 들이 고민했었거나 지금도 고민하시는 분들이 많을 것이다.

나도 보험 영업을 처음 시작하고 1년 차쯤 해서 정말 고민을 많이 했던 것 같다.

처음에 보험회사를 입사 하고 보험에 대해선 아무것도 모르는 상태에서 회사 신입 교육 해주는 것과 실전에서 먼저 영업하셨던 관리자분들이 영업을 어떻게 하는지 간략히 알려준 데로 영업을 시작했다. 나름 가르쳐 준 데로 한다고 했지만, 영업을 처음 시작한 신입이기에 바로 좋은 결과가 나오지는 못했다. 그렇게 한 달이 지나고 두 달이 지나서 6개월 차가 되었지만, 여전히 고객을 상담할 때 감도 안 오고 오히려 상담이 더 어려웠다.

그래서 사실 상담 후 closing 부분이 별로 없었다. 그렇다 보니 고객에게 신뢰받으려면 어떻게 해야 하는 거지? 에 대해 고민이 많았던 것 같다.

지금 보험 영업 4년 차가 되어서야 많은 시행착오를 하고 매년 연봉 1억을 하게 되면서 가끔 처음 시작했을 때를 떠올려 보면 그때 영업이 왜 잘 안되었는지를 알 수 있는 것 같다.

사실 이 일을 시작하기 전에 2 JOB으로 잠깐 보험 영업을 한 적이 있다. 그때는 지인 영업을 할 수밖에 없어서 주변 지인들에게 보험 얘기를 했는데 대부분이 싫어했다. 그만큼 주변에 보험 영업하는 지인들이 많았기 때문이다. 그래서 다시 이 일을 제대로 시작할 때는 지인 상대로 보험 영업을 한 게 아니고 DB 고객을 상대로 영업을 시작했다.

그런데 왜 안 되고 어려웠을까?

지인 영업을 하던 DB 영업을 하던 어떤 영업을 함 에 있어서 제일 중요한 것은 나 스스로의 자신감이 있어야 한다는 것이다.

처음 보는 고객이 나를 신뢰하고 보험을 나한테 맡긴다는 건 내가 그 고객한테 정말 전문가라는 자신 있는 모습을 보여 주었기 때문이다.

그런데 앞에서 말한 내용을 이렇게 생각하시는 분들도 있다.

내가 보험에 대해 모든 걸 다 잘 아는 전문가가 되어야만 고객에게 신뢰를 얻고 영업을 잘할 수 있는 건가요? 그와 반대로 보험에 대해 잘 모르면 보험 영업은 못 하는 건가요? 라고.

당연히 그 분야에서 많은 것들을 잘 아는 전문가가 되면 최고이겠지만 그렇다고 보험에 많은 것을 안다고 해서 영업을 무조건 잘하는 것은 아니다. 그리고 보험에 대해 많은 것을 모른다고 해서 영업을 못 하거나 그런 것도 아니다. 영업에는 변수가 많다. 고객의 성향을 잘 파악하는 것이 중요하다.

앞에서도 말했듯이 내가 신입 때 실전에서 영업을 잘하시던 관리자분들이 영업 잘하는 방법에 대해 중요한 부분 몇 가지를 알려줬을 때 나는 그때 그대로 따라 한다고 했었지만, 결과는 설명만 잔뜩 하고 고객은 좋은 정보 잘 들었다며, 감사하다고 한 뒤 생각해 보겠다고 하면서 상담은 끝났다.

여기서 나는 과연 자신감 있게 여유 있게 상담하였는가? 라는 질문에, 아니요.라고, 답한다.

형식은 따라 했지만, 상담하는데 고객이 나한테 맡기지 않으면 어떻게 하지? 라는 걱정과 안 되면 이번 달 또 힘들어지겠네. 라는 자신감 없는 마음가짐으로 상담했기 때문에 고객의 성향을 파악하는 부분과 고객이 어떤 부분을 궁금해하고 어떤 것을 원하는지에 대한 소통을 제대로 하지 못했다. 단순히 고객의 보험에 잘못된 부분을 설명하는 것과 리모델링을 해야 하는 이유를 얘기하는 것에만 급급했다.

결국은 자신감 없는 마음가짐으로 고객에게 신뢰를 이끌지 못했던 나의 예전 상담 사례이다.

그래서 지금 많은 설계사분들도 고객과 상담 할 때 내가 혹시라도 준비되어 있지 않아서 이것저것 걱정을 한다면, 자신이 없어도 빨리 그 생각을 떨쳐 버리고 나는 전문가다. 나는 고객들에게 많은 도움을 줄 수 있는 사람이다. 라고 나 스스로 마인드컨트롤하고 자존감을 UP 하면서 고객과 함께 소통하며 점검의 포인트만 잘 전달한다면 좋은 결과가 있을 것이다.

앞으로 보험 공부도 열심히 하면서 1년이 지나고 2년 이 지나 내 자신이 어떻게 변해 있을지 상상을 해보자. 나는 꼭 성공한 사람이 되어 있을 것이다.

지금까지 내 영업방식이 잘못되었다면, 바꾸어야 할 부분은?

Build
Your BRAND

자! 그럼, 지금까지 나도 이 방법으로 보험 영업 매출을 2배 올렸다. 프로젝트에서 내가 영업이 안 되었던 나의 과거 모습을 보았다. 문제점이 무엇이었는지 확인을 했고 그걸 지금부터는 하나하나씩 바꾸어 나가는 연습을 할 것이다.

보험 영업에서 자신감을 갖는 것은 매우 중요한 요소다

보험 영업은 고객과의 대화와 설득력이 필요한 분야로, 자신에게 자신감을 가지는 것은 성공적인 영업을 끌어내는 핵심 요소이다. 자신의 전문성과 노력을 믿고, 고객에게 전문가로서의 자신감을 보여줌으로써 고객의 신뢰를 얻을 수 있다.

그러면 내가 고객에게 보험전문가로서 보이기 위한 나 스스로 자신감을 가지는 방법이 어떤 부분이 있는지 알아보자.

첫째로, 자신의 전문성을 믿는다. 보험 영업은 다양한 상품과 정책에 대한 지식과 이해가 필요하다. 고객은 전문가로서의 지식과 정보를 기대하며, 이를 충족시키기 위해서는 자신의 전문성을 믿어야 한다. 보험 상품의 특징과 장점, 보장 내용 등을 철저히 학습하고, 최신 동향과 변화를 파악하는 노력을 기울여야 한다. 이를 통해 고객과의 대화에서 자신의 전문성을 드러내고, 고객에게 신뢰를 줄 수 있다.

예를 들어, 보험설계사는 자신이 파는 상품에 대한 포괄적인 지식을 갖추어야 한다. 만약에 자동차보험을 판매하는 경우, 자동차보험의 개념, 보장 범위, 보험료 계산 방법 등에 대한 기본적인 지식은 습득해야 한다. 또한, 다양한 보험 상품의 특징과 차이점을 이해하고, 고객의 다양한 요구에 맞는 최적의 보험 상품을 추천할 수 있어야 한다.

둘째로, 어려움을 극복하고 최선을 다해 도움을 주는 자세를 갖추어보자. 보험 영업은 경쟁이 치열하고, 어려움과 거절에 직면할 수 있는 분야이다. 그러나 이를 극복하고자 하는 자세가 중요하다. 자신이 어려움을 겪을 때도 포기하지 않고, 문제를 해결하기 위해 노력하고 학습하는 자세를 가져야 한다. 고객에게 최선을 다해 도움을 주기 위해 노력하는 자세를 갖추고, 문제 상황에서도 긍정적인 태도를 유지할 수 있어야 한다. 그러기 위해 보험설계사는 고객의 다양한 상황과 요구를 이해하고 이에 맞는 해결책을 제시해야 한다. 이를 통해 고객은 자신감이 넘치는 설계사와 함께하는 것을 느끼고, 신뢰를 할 수 있다.

마지막으로, 고객에게 자신이 전문가라는 자신감을 보여주자. 고객은 보험설계사에 대해 전문성과 신뢰를 기대한다. 따라서 자신이 전문가라는 자신감을 고객에게 보여줄 필요가 있다. 자신의 전문성과 경험을 기반으로 고객의 문제를 해결하고, 고객의 욕구와 요구를 충족시킬 수 있는 해법을 제시해야 한다. 고객과의 대화에서 자신감 있게 응답하고, 고객의 의문이나 우려에 대해 자신의 전문성을 바탕으로 설명할 수 있어야 한다.

혹시 고객이 보험 상품에 대해 의문이나 우려를 표시할 때도 전문성을 바탕으로 고객을 안심시킬 수 있는 답변을 제공해야 한다.

예로 고객의 질문에 잘 모르는 부분이 있어도 잘 모르는 듯한 모습을 고객한테 보이면 안 되고 이 부분은 약관을 통해 확인해야 하는 거라 약관을 찾아보고 정확하게 얘기해주겠다고 하고 그 상황에서 슬기롭게 빠져나오고 다른 부분으로 설명을 이어 나가면 된다.

결론은 자신에게 자신감을 가지는 것은 보험 영업에서 성공을 이루는 데 있어서 매우 중요한 요소이고, 자신의 전문성을 믿고, 고객에게 최선을 다해 도움을 주는 자세를 갖추어 고객의 신뢰를 얻을 수 있다. 또한, 고객에게 자신이 전문가라는 자신감을 보여줌으로써 고객의 신뢰를 높일 수 있고. 보험 영업에서 자신감을 갖춘 설계사는 고객과의 관계를 강화하고, 성공적인 영업을 끌어낼 수 있다. 이를 위해 자신의 전문성을 믿고, 어려움을 극복하며 최선을 다하는 자세를 갖추어보자.

상담 방식을 점검해 보면, 고객과의 상호작용에서 어떤 어려움이 있을 수 있는지 파악해야 한다

다음으로 자신감이 없다 보면 상담 과정에서 고객과의 소통이 원활하지 않거나 상담 과정에서 긴장이나 불안감을 느낄 수가 있는데, 이러한 어려움을 극복하기 위해 상담 기술을 향상하는 것이 중요하다. 적극적인 청취, 고객의 의견을 존중하는 자세, 명확하고 효과적인 설명 등의 상담 기술을 강화하면서 고객과의 상호작용을 개선해 보는 것이 좋다.

또한, 나만의 대화법을 만들어 보자. 영업에서는 고객과의 원활한 커뮤니케이션이 매우 중요하기 때문에 이 부분의 스킬을 향상하는 것이 좋다. 상대방의 의견을 이해하고 수용하는 능력, 명확하고 간결하게 의사소통하는 능력, 비언어적인 신호를 읽고 활용하는 능력 등이 필요하다. 이를 위해 관련 교육이나 훈련을 받아보는 것도 고려할 부분이다. 동시에 동료나 선배들과의 경험 공유를 통해 서로의 스킬을 배우고 발전시킬 수도 있다.

그리고 고객의 요구에 대한 이해도를 높여보자. 고객이 원하는 것과 필요로 하는 것을 정확히 파악하는 것은 영업 성공의 핵심이다. 보험 상품을 제공하는 과정에서 고객의 다양한 요구사항을 이해하고, 그에 맞는 맞춤형 해법을 제시할 수 있어야 한다. 이를 위해 고객과의 대화를 통해 고객의 욕구와 니즈를 파악하고, 고객에게 필요한 정보를 제공하는 능력을 기르는 것이 중요하다. 또한, 보험 업계의 동향과 변화를 주시하며 고객의 요구에 부응할 수 있는 전문성을 갖추는 것도 중요하다.

이 세 가지의 내용에 예를 들면 앞에서도 내 사례로 설명한 것이 있지만, 자신감이 없는 상태에서 설계사가 고객을 상담할 때 본인이 해야 할 말만 계속하는 경우가 있다. 고객과 소통이 있는 것이 아니라, 고객은 계속 듣고 있기만 하고 설계사는 고객에게 보험에 대한 설명, 자기 얘기만 하고 있다. 그냥 보험 설명만 해주러 온 것이다.

그러면 안 되고 고객과 상담 시에, 처음에 어색한 부분이 있을 수 있으니, 고객의 주변 환경을 활용해 여러 가지 질문들을 해보고 고객 입에서 자연스럽게 얘기가 나오면서 이야기가 전개될 수 있도록 잘 들어주면서 분위기를 리드해 보면 좋을 것이다. 그리고 보험 설명을 하기 전에 고객은 보험을 어떻게 생각하는지, 그러면 보험을 어떻게 준비하고 싶은지 등등의 질문과 답변 형식으로 대화를 주고받고 고객과 소통하면서 상담을 이어 나가면 조금 더 쉽게 내가 전달하고자 하는 것들을 할 수가 있다.

고객의 성향을 파악하고 상담에 적절히 대응하는 것은 보험 영업에서 성공을 끌어내기 위해 매우 중요한 요소다

각 고객은 개인적인 가치관, 우려 사항, 욕구 등을 가지고 있으

며, 이를 파악하여 상담에 적절히 대응하는 것이 고객과의 신뢰 관계를 구축하고 영업 성과를 향상하는 핵심 요소이다.

먼저, 고객의 성향을 파악하는 것이 중요하다. 각 고객은 개인적인 가치관과 욕구를 가지고 있다. 이를 파악하기 위해서는 적극적인 청취와 관찰이 필요하다. 상담 과정에서 고객의 이야기를 경청하고, 비언어적인 신호를 잘 읽어내어 고객이 전달하고자 하는 메시지를 파악해야 한다. 고객이 표현하는 언어와 태도, 몸짓 등을 신중히 관찰하면서 고객의 욕구와 니즈를 이해하고 공감하는 능력을 갖추어야 한다.

그리고, 고객의 성향에 맞는 해법을 제시해야 한다. 고객의 욕구와 요구에 맞는 보험 상품을 제시하는 것은 보험 영업에서의 핵심이다. 이를 위해 고객의 우려 사항이나 욕구를 정확히 파악하고, 그에 맞는 맞춤형 해법을 제시해야 한다. 고객의 가족 구성, 금전적 상황, 건강 상태 등을 고려하여 최적의 보험 상품을 추천하고, 고객이 이해하기 쉽게 설명해야 한다. 또한, 고객의 욕구에 부합하는 부가 서비스나 혜택을 제공함으로써 고객의 만족도를 높이는 것이 중요하다. 예를 들어, 고객이 가족의 안전에 대한 우려를 표현한다면, 가족 보험 상품의 필요성과 이점을 강조하며, 가족 구성원 모두를 보호할 수 있는 보장을 제시해 보자!

다음은, 신뢰 관계를 구축하고 고객의 니즈를 충족시키는 방향으로 상담을 진행해야 한다. 보험 영업에서 성공을 이루기 위해서는 고객과의 신뢰 관계를 구축해야 한다. 상담 과정에서는 고객에게 진실성과 신뢰성을 전달하고, 고객의 개인정보와 요구사항을 적절히

보호해야 한다. 고객이 느끼는 불안감이나 우려를 경청하고, 그에 맞는 답변이나 해결책을 제시해야 한다. 고객의 니즈를 충족시키는 방향으로 상담을 진행하면서, 고객이 보험 상품을 선택하고자 하는 동기와 이유를 파악하고, 그것에 맞게 상담에 대한 설명과 해법을 제시해 보자. 고객의 우려를 진지하게 다루고, 보험 상품이 고객의 니즈와 목적에 부합하는지를 명확하게 전달하는 것이 중요하다. 이를 통해 고객은 자신의 보장과 안전에 대한 신뢰를 느끼며, 보험 상품을 선택할 수 있을 것이다.

보험에 대한 전문성을 키우기 위해 다음과 같은 방법을 추천한다

지금까지 자신감도 키우고 고객과 함께 소통하면서 고객의 성향에 맞게 상담을 진행했다면, 이제는 조금 더 나를 전문가로 보일 수 있도록 전문성을 키울 수 있는 여러 가지 커뮤니티를 활용하는 것이 좋다.

첫째로, 지속적인 학습과 정보 습득이 필요하다. 보험 업계는 빠르게 변화하고 있으며, 다양한 상황과 요구에 대응할 수 있는 최신 정보와 지식을 갖추는 것이 중요하다. 보험 상품의 종류와 특징, 보험 용어와 개념, 보험 계약의 절차와 유의 사항 등을 꾸준히 학습하고 습득해야 한다. 이를 위해 요즘은 보험 관련 오픈채팅방이 많이 활성화되어 있다 보니 거기에서 보험 관련 정보 등을 습득하는 것도 좋은 팁 중의 하나이고, 서적이나 온라인 자료, 교육 강좌 등을 활용할 수 있다.

둘째로, 교육과 세미나에 적극적으로 참여하는 것도 좋다. 보험 업계에서는 다양한 교육 프로그램과 세미나가 제공되고 있다. 이를 통해 전문가들의 경험과 노하우를 배울 수 있으며, 최신 동향과 업계의 변화에 대한 정보를 얻을 수 있다. 예로 보험회사별 소식지 등의 자료나, 소식지를 정리해서 포인트만 알려주는 소식지 강의 등을 꼼꼼히 체크해보는 것도 좋은 방법이다. 왜냐하면 매월 바뀌는 상품 정보를 바로바로 체크할 수 있기 때문이다. 또한, 다른 영업사원들과의 교류와 네트워킹을 통해 지식과 경험을 공유하고 함께 성장할 수 있다.

셋째로, 실전 경험을 쌓는 것도 전문성 향상에 중요하다. 이론적인 지식뿐만 아니라 실제 상황에서의 경험은 보험 영업에서의 전문성을 키우는 데 큰 도움이 된다. 실전에서 다양한 고객과의 상담과 계약 체결, 보상 처리 등을 경험해 보며, 실무 능력을 향상하면 된다. 요즘은 보험 상품의 정보들이나, 상담을 조금은 체계적으로 할 수 있는 상담 플랫폼, 그리고 실전에서 고소득을 일으키고 있는 유능한 강사들에게 트레이닝을 받을 수 있는 것들을 진행하는 아카데미들이 있다 보니 나의 성장을 위해 그런 프로그램 등을 활용해서 짧은 기간에 성공할 수 있는 지름길이라고 볼 수 있다.

그리고 조직 내의 선배 영업사원들이나 전문가들의 멘토링을 받아보는 것도 도움이 될 것이다. 그들의 조언과 경험을 통해 보험 영업에서의 전문성을 더욱 향상할 수 있다. 영업 잘하는 관리자 동행 상담 추천!

하나씩 바뀐 부분으로
이제 매출 2배 올려보자

Build
Your BRAND

*"One secret of success in Life is for Aman to be ready
for his opportunity when it comes."*

- Benjamin Disraeli

*"인생에서 성공하는 비결 중 하나는 기회가 왔을 때 준비가 되어
있다는 것이다."*

- 벤저민 디즈레일리

　우리는 그동안 준비가 되어 있지 않은 채 보험 영업을 해 왔다.
그래서 지금까지 보험 영업이 어렵다고 생각했고, 어떻게 바꿔야
하는지 방법을 몰랐다.

이제는 이 책을 통해 나는 뭐가 문제였고 내가 뭐부터 바뀌어야 하는지를 알았다. 그럼, 지금부터 하나씩 실천을 하면 되고 준비가 되었다면 여러 가지 영업 컨셉으로 매출을 2배로 올려보자.

첫 번째 매출을 2배 올리기 위한 보험 영업에는 지인 영업과 개척 영업, DB 영업으로 구분된다.

지인 영업은 말 그대로 주변 지인들에게 보험 상품을 권유하는 것과 보험 점검을 통해 잘못된 부분을 바로잡는 영업 컨셉으로 할 수 있다. 주변 지인분들을 상대로 영업하는 것이기 때문에 일반 설계사분들처럼 보험 상품을 판매하는 목적으로만 접근한다면 나도 주변 설계사 중 1인이 되는 것이고 내가 전문가로서 판매 목적보다 보상 부분에 도움을 주는 이미지로 남게 된다면 도움이 필요할 때 언제든지 먼저 연락을 하고 소개도 많이 해줄 것이다.

이렇게 지인들이나 기존 고객들을 잘 관리만 한다면 매월 보험사마다 저렴한 보험료의 이슈 상품이 나올 때 카드뉴스 형식의 마케팅으로 홍보해서 매출을 올릴 수도 있다. 최근에 많이 활용했던 컨셉이 독감 치료비 플랜, 응급실 컨셉, 상해 재활치료비 컨셉으로 볼 수 있다.

그리고 고객 관리를 하는 것 중에 괜찮은 팁 하나 얘기하자면 여러 가지 고객 관리 플랫폼들이 있겠지만 고객관리용 오픈채팅방을 활용하는 것도 괜찮다. 오픈채팅방에 모든 고객이 입장해서 들어와 있다 보니 공지나 중요한 정보들을 한 번에 올려서 일부 고객 관리를 할 수 있기도 하고, 매일 고객 관리 방에 그날의 주요 뉴스, 날씨, 그리고 일상생활에서 도움이 될 수 있는 자료들, 보상에 관련 도움 되는 자료들을 올려 줌으로서 그냥 형식적으로 관리하는 느낌이 아닌 항상 고객과 소통하는 느낌이 나기도 해서 고객을 편하게 관리 할 수가 있다. 그러면서 고객들에게 별도로 문의가 들어와서 추가 적으로 계약이 되는 경우도 많다.

다음 개척 영업으로 매출을 올린다는 것은 쉽지 않다는 걸 다들 알 것이다.

그만큼 어려운 영업 중 하나인데 그 안에서도 개척 영업을 잘하시는 분들도 많다. 대부분 나를 광고할 수 있는 전단지, 그리고 일부 소품과 명함을 들고 홍보하는데 개척 영업을 잘하시는 분들은 존경의 대상이다. 왜냐면 누구보다 열심히 하는 것이기 때문이다.

나는 영업을 한다면 개척 영업은 필수적으로 해라. 라고 말하고 싶다. 하지만 시간이 오래 걸리는 개척 영업이 아닌 잠시 단시간을 투자한 개척 영업을 추천한다.

요즘은 디지털 시대이다. 각종 SNS도 많이 활성화가 되어 있기 때문에 이 부분을 활용한 개척 영업은 어떨까, 생각한다. SNS를 하는 것 자체는 어렵긴 하다. 하지만 어렵다고 해서 하지 않는다면 나는 뒤처지는 사람 중의 한 명이라고 생각하면 될 것 같다.

결론은 어려워도 배워서 꼭 SNS를 활용한 개척 영업을 해라 말하고 싶다.

나는 지금 비즈니스 오픈채팅방, 블로그, 카페 등등을 활용해서 나의 브랜딩을 홍보하고 보험도 같이 홍보하면서 강의도 하고 있다. 그 안에서 상담도 하고 있어서 지인 영업과 DB 영업을 같이 활용한 매출 2배 올리기에 큰 부분을 차지하고 있다고 말하고 싶다.

나는 이 개척 영업을 앞으로 길게 봤을 때 제2의 영업 시장이라고 보고 지금도 더 많은 마케팅 공부를 열심히 하고 있다.

이제 마지막 DB 영업이다.

사실 단기간에 매출을 올릴 수 있는 영업이라고 말할 수 있다.

왜냐면 DB를 유료로 구입해서 바로 고객에게 TA를 하고 상담 약속을 잡은 다음 방문해서 보험 점검을 한 뒤 잘못된 부분이 있다면 그걸 전문가로서 바로 잡아주고 매출을 올리는 형식이기 때문에 이 부분을 전문가적으로 잘한다면 매출을 단기간에 올릴 수 있다.

하지만 이 DB 영업에도 어려운 부분은 있다. 처음 보는 고객을 상대로 보험 점검 상담을 하는 거라서 그 어느 것 보다 전문성이 뒷받침해 줘야 한다. 여기서 많은 설계사분이 어려워한다.

나도 여러 많은 DB를 유료로 구입해서 상담을 해봤다. 개당 비싼 DB를 한 달에 20~30개를 구입해서 영업을 했는데 사실 DB는 확률이다. DB를 구입했다고 해서 모든 게 다 계약 체결되는 것은 아니다. 상담하다가 안 되는 경우가 많다. 그중의 하나가 주변 친한 지인이 담당자라서 어쩔 수 없는 상황이다. 상담이 계약 체결로 이뤄지지 않으면 DB 구입한 비용은 다 날리는 것이다.

그래서 많은 설계사분들이 DB를 적게 쓰고 확률을 높여서 매출을 많이 하기를 원하지만, 현실적으로는 쉽지 않다. 예전에 나는 차라리 DB를 많이 구입해서 거기서 150~200 매출만 하자 형식으로 영업했는데 매출을 찍으니 DB 비용을 빼고도 많이 남았기에 이 방법도 나쁘지는 않았다. 하지만 그것은 본인의 상담 역량에 따라 되는 거라서 안 될 수도 있다.

그럼, 매출을 2배로 올리기 위해 DB 영업은 어떻게 하는 것이 좋을까?

나는 DB 영업할 때 비중을 7:3으로 해보라고 한다.
컨셉 DB 영업 7 : 일반 DB 영업 3

컨셉 DB 영업은 꼭 저렴한 DB를 활용하자.

최근에 건축 박람회에서 개최하는 화재 DB를 구입해서 영업을 해봤다. DB 비용은 1만 원, 새로 분양받아 입주하는 아파트 입주자들에게 회사 홍보 차원에 무료로 화재보험에 가입해 준다는 이벤트 했던 DB이다. 화재보험의 계약자는 보험설계사로 하고 피보험자는 입주자 화재보험의 1년 치 가격은 1만 원이다. 설계사가 부담해야 하는 DB 비용은 총 2만 원.

2만 원의 저렴한 DB로 부담 없이 상담한다. 화재보험에 무료로 가입 시켜주고 이런저런 수다를 떨다 오는 컨셉, 나의 브랜딩 자랑도 좀 하고, 보상에 관련된 얘기로 겁을 좀 주고 그러면 자연스럽게 본인의 보험을 점검해 달라고 한다. 그리고 설계를 해달라고 나에게 부탁한다. 나는 여기서 전문성을 맘껏 발휘한다. 안돼도 날아가는 비용은 2만 원….

이제는 큰 비용을 들이면서 힘들게 DB 영업을 하는 것이 아닌 나만의 DB 시장을 찾고 그 안에서 내 컨셉을 만들어 영업하는 것이 가성비 있게 영업하는 게 아닐까 생각을 한다.

두 번째로 매출을 2배로 올리기 위해 필요한 부분은 '나를 브랜딩 하자'이다

이 모든 영업에 꼭 필수로 필요하고 그 어떤 고객을 만나도 나라는 사람을 알리고 나를 신뢰할 수 있게 만들 수 있는 무기는 나의 브랜딩이라고 말할 수 있다.

여기서 질문 하나 해보겠다.

여러분들은 나를 브랜딩하는 것들이 있으신가요??

나는 경제방송에 보험전문가로 활동하고 있는 전문가이다. 나는 비즈니스나 보험에 관련된 저서를 쓰고 있는 작가이기도 하고 나는 출판지도사 강사여서 작가로 활동할 수 있도록 도움을 주고 있다.

나는 보험 멘토링 아카데미에 센터장 대표 강사로 설계사들을 트레이닝해 주고 있다.

　나는 사회적기업 한국보험 지식문화원의 센터장이면서 취약계층의 무료 보험에 도움을 드리고 있다.

　네이버에 내 이름 김성준을 검색해 보세요.

　나의 브랜딩으로 고객은 나를 신뢰 한다. 이것이 나의 무기이다. 나는 앞으로도 나를 더 브랜딩할 것이다.

　여러분들도 나만의 브랜딩을 해보세요. 내가 할 수 있는 것들이 여러분들도 할 수 있습니다.

서 민 경
비즈니스 멘토링 아카데미 대표
minsinger@nate.com

인카금융서비스 슈페리어 사업단 소속 지점장
한국경제, MTN머니투데이, NBN내외경제 보험방송
보험전문가 활동
보험설계사 영업지원 멘토 강사

" 치매를 병으로 여기지 마라.
힘들긴 하지만 세상에 첫 태어난
너무 사랑스러운 우리 갓난아이와 같은 존재 … "

시어머님의 잊혀지는 기억
'치매' 지키지 못한 나의 약속

자식들을 위해서 한평생 힘들게만 살아오셨는데
치매 진단을 받으신 우리 시어머니

Build
Your BRAND

시어머님의 이야기를 들을 때마다 가슴이 아려온다.

시 할머니께서는 6.25 전쟁 때 이북에서 피난을 내려오시다가 시 할아버님을 먼저 보내시고 어린 우리 시아버님 포함 3형제와 함께 시 할머니 역시도 남편 없이 힘들게 젊은 시절을 보내셨다.

그러다가 첫아들의 첫 며느리인 시어머님을 보셨는데 남편 없이 혼자서 3형제를 이끌고 힘들게 사셔서 그랬는지 모르겠지만, 시어머님께서는 20년 동안 시 할머니의 시집살이로 매일 밤을 울음으로 지새우셨다고 한다.

시아버님도 가부장적이어서 시어머님께 욱박도 많이 지르셨다고 하고, 보통은 시집살이가 힘들 때는 남편이 힘들어하는 아내를 감싸준다고 하는데 우리 시어머님은 시아버님으로부터도 여자로서 제대로 된 대접을 받지도 못하셨다.

그래서 그런지, 지금 76세가 되신 시어머님께서는 젊었을 때의 트라우마로 인해 밤에 편안한 잠을 못 주무신다.

젊으셨을 때는 어린 내 남편을 업고 남의 일 파출부 일로 큰 집의 전체 일들을 도맡아 하셨는데 힘들게 큰 이불 빨래도 직접 손으로 하시고 넓은 방 청소도 무릎 꿇고 장시간 하셨다.

본인의 건강은 못 챙기시면서 그 일을 오래 한 탓인가 지금은 허리에 협착이 너무 많이 돼서 통증도 엄청 심하시고, 무릎 또한 양쪽 관절이 다 닳아서 병원에선 양쪽 무릎이나 허리 쪽을 수술해야 할 정도라고 하는데 수술은 안 하겠다고 하시며 지금도 통증으로 하루하루를 보내신다.

그렇게 지금까지 제대로 된 건강검진도 못 받으시다가 최근에 좋은 기회가 생겨 할인을 많이 받고 유료 건강검진을 받으시게 되었다. 여러 검사 중, 뇌 MRI도 찍게 되었는데, 검사 결과에 뇌 쪽으로 이상한 부분이 있다는 소견이 나왔고 조금 더 정밀검사를 받으셔야 한다고 해서 다른 병원에서 다시 검사받으셨는데 치매 초기증세가 있다는 진단을 받으셨다. 의사 선생님 말씀으로는 지금부터 치매에 관련된 약도 복용을 하셔야 하고 관리를 받으셔야 한다고 했다.

나 역시 시집온 지 8년째가 되어 가는데 시어머님은 젊었을 때 시집살이에 많이 시달리셔서 며느리들한테는 절대 같은 행동 들은 하지 않겠노라 다짐하시면서 나한테도 지금껏 뭐라고 하신 적 한번도 없으시고 나는 너희들만 아프지 말고 행복하게 잘 살라 하시면서 늘 나한테 편하게 대해 주셨다.

다른 분들도 가족 중에 중대 질병으로 건강이 안 좋다는 얘기를 들으면 뭐라 얘기할 수 없는 슬픈 감정이 들겠지만 나 역시 시집을 온 이래 시어머님께 뭐 하나 제대로 해드린 것도 없고 항상 시어머님께 죄송스러운 마음만 들었는데 우리 시어머님이 치매가 왔다는 말에 내가 옆에 자주 못 있어 드려서, 그리고 신경을 못써 드려서 그런 건가 하는 생각에 가슴이 찢어지듯이 아려오고 눈물만 난다.

치매 진단을 받으신 시어머님을
어떻게 모셔야 할지 고민

Build
Your BRAND

우선, 현재는 초기 단계라 주기별로 병원에 방문하여 진료를 받으시고 인지기능 검사를 받아 현재 상황을 체크하고, 병원에서 처방해 주는 뇌 영양제를 복용하며 기억력을 잃지 않도록 의사 선생님께서 매일 일기를 쓰시는 것을 권장했다.

그런데 시어머님도 그렇게 해야 하는 걸 알지만, 자꾸만 모든 게 귀찮아지고 가끔 멍때릴 때가 있고 눕고만 싶어 하신다.

그런데 이런 행동들이 계속 지속화되면 치매가 더 안 좋아진다고, 그럴 때 일수 록 누군가 함께 곁에 있으면서 시어머님과 얘기도 많이 나누고 여러 가지 활동도 같이하면서 치매가 더 나빠지지 않도록 신경을 써줘야 하는데, 가정 형편상 가족들이 다 밖에서 일을 하고 있다보니 집에는 항상 시어머님 혼자 계시고 지금 이 부분을 어떻게 해야 할지가 고민이다.

그런데 사실 우리 가족들만 이런 고민을 하는 것이 아닐 것이다.

여태껏 효도를 못 해 드린 것도 죄송하기도 하고 지금까지 고생하신 시어머님이 서서히 본인의 기억을 잊어버리기 전에 옆에서 많이 챙겨드리고 많은 추억도 만들어 드리자, 남편과 많은 얘기를 나눴지만 지금 상황에서 이런 것들이 현실적으로 쉽지만은 않다. 오히려 해드리지 못하는 나 자신이 속상할 마음뿐이다.

우리 남편은 본인이 회사에 휴직을 내고 집에서 프리랜서로 할 수 있는 일을 찾아서 하면서 시어머님 옆에서 간호를 해드리고 어머님과 시간을 보내는 건 어떻겠냐고, 거기에 별도로 들어가는 간호 비용만 3남매가 나누면 조금은 부담을 줄일 수도 있을 것 같다고 하는데. 사실 그렇게 되면 경제적인 부분을 생각 안 할 수가 없어, 프리랜서 일을 하면서 돈을 그 전처럼 벌 수 있을지도 모르는 거에 조금은 걱정이 되긴 했지만, 시어머님과 함께 지내는 부분에서는 이 방법이 좋을 것도 같다는 생각이 들었다.

한편으로는 내가 설계사인데 치매 보험만 들어놨어도 사실 이런 고민은 덜 했을 거라는 생각이 든다. 다른 분들께는 치매에 대한 중요성과 대비책으로 치매 보험을 꼭 준비해야 한다고 강조를 많이 했으면서, 정작 나는 한 달 고정지출 비용이 많이 나가는 것 때문에 시어머님께 치매 보험을 준비해 드리는 거에 미쳐 생각을 못 해 드렸다, 만약에 치매 보험이 있었다면 단계별 진단비를 받으면서 중증 치매일 때는 매월 치매 간병비를 받는 거로 한 달 시어머님께 들어가는 간병 비용을 이걸로 대체하고 그러면서 우리는 일을 하면서 3남매가 돌아가면서 시어머님과 함께 시간을 보낼 수 있었을 것이다.

내가 너무 바보 같다. 옆에선 내 남편과 시누이가 나의 잘못이 아니라며, 다독거려 주는데 그래도 후회가 된다. 가족들이 지금은 우리의 상황에서 시어머님이 기억을 점차 잃기 전에 어떻게 해드리는 것이 좋을지 방법을 찾아보자고 해서 나도 안 되는 거는 빨리 떨쳐 버리고 지금에서 되는 것만 생각하기로 했다. 그래서 우리가 앞으로 시어머님을 어떻게 돌봐야 할지 간병 비용은 얼마 정도 들어가는지 대책을 세워야 하기에 세부적으로 알아보았다.

가족 중 누군가가 치매 진단을 받는다면 제일 처음 생각해야 할 부분이 '집에서 모시는 부분'과 '요양 시설에서 모시는 부분'이다.

아무래도 초기 때는 시어머님께서 증상이 심하지 않으시기 때문에 치매 환자들을 위한 지원 프로그램들이 운영되고 있는 해당 지역의 치매안심센터에서 '주간 보호 서비스'를 이용을 해,
마치 유아들이 어린이집에 등교해서 유아들에게 맞는 프로그램을 받고 집으로 하교하는 시스템과 같은 방식으로 초기 치매를 앓고 있으신 어르신들도 오전에 치매안심센터에 가셨다 치매 환자들에게 맞는 프로그램이 끝난 뒤 다시 집으로 오셔서 나머지 시간은 가족

들과 함께 보내시는 방법이 있다. 첫 번째로 가족들에게도 부담이 가지 않으면서 환자 본인에게도 좋은 방법이다.

그러면 처음에 시어머님께서 이용하실 치매안심센터에서 어떤 프로그램들을 제공해주고 있는지 알아보자.

1. 치매상담센터 운영

- 치매 상담 및 관련 정보 제공
- 치매 환자 등록 및 사례관리(내소상담, 전화상담)
- 치매 어르신 가족의 돌봄 요령 및 역할 등에 대한 교육
- 치매 예방 교육 및 가족 교육
- 노인대학 및 경로당 그 외 치매 교육을 원하는 기관을
  대상으로 예방 교육 제공
- 맞춤형 인지 재활 프로그램 운영

2. 치매 조기검진 안내

- 대상 : 60세 이상 어르신(주민등록증 및 신분증 지참)
- 장소 : 해당 지역치매안심센터
- 일시 : 월~금요일, 9:00~18:00(점심시간 12:00~13:00 제외)
- 검진 절차
  - 1단계 : 치매 선별검사 (인지 선별검사 CIST)

- 2단계 : 치매 진단검사
        (신경 심리검사 CERAD-K, 전문의 진료)
- 3단계 : 치매 감별검사
        (치매 검진 협약병원 : CT촬영, 혈액검사 등)
- 검사 비용 지원
- 선별검사 : 치매안심센터에서 무료 검사 실시
- 진단·감별검사 : 협약병원에서 실시한 검사비
        (기준 중위소득 120% 이하자로 일부 지원)

3. 치매치료관리비(약제비) 지원

- 지원 신청 : 해당 지역치매안심센터
- 지원 대상 : 의료기관에서 치매로 진단(상병코드 F00~F03, G30)받고 치매치료제를 복용하고 있는 만 60세 이상 해당 지역 시민(주민등록 기준)

※제외 대상 : 보훈대상자, 의료급여 본인부담금 상한제/보상제, 긴급복지의료 지원, 장애인 의료비 지원 대상자

- 지원 내용 : 치매 치료관리비보험 급여분 중 본인부담금
- 지원 금액 : 치매 치료관리비 본인부담금 중 월 3만 원 상한 내 실비 지원 지급 방식
- 지급 방식
  - (신청인) 치매치료관리비지원 신청서 및 구비서류 제출

- (치매안심센터) 신청서류 확인 후 지원 대상 및 지원 금액 결정
- (지급)
  - 기준 중위소득 120% 이하자 - 국민건강보험공단 예탁 지급
  - 기준 중위소득 120% 초과자 - 해당 지역 보건소 직접 지급
- 구비서류
  - 치매 치료관리비 지원신청서(치매안심센터에서 작성)
  - 치매 진단 확인서류
    (처방전 : 상병코드 F00~F03, G30 중 기재, 치매약 품명 기재)
  - 가족관계증명서
  - 신청자 및 대상자 주민등록증
  - 지원 대상자(어르신)의 건강보험료를 내는 피보험자의 인적
    사항 (이름, 연락처, 주민등록번호)
  - 통장 사본

4. 치매 어르신 조호물품 지원

- 지원 대상 : 치매안심센터에 등록된 치매 환자
- 지원 기준 : 치매(상병코드 F00~F03, G3)로 진단
- 지원 신청 : 해당 지역치매안심센터
- 신청 기간 : 상시
- 지원 내용 : 돌봄에 필요한 물품 제공
  (최대 1년까지 제공 가능/단, 기초생활수급자 및 차상위 계층이
  대상자임이 확인될 경우 매년 지급)
- 구비서류

- 치매 환자 본인 신분증 및 신청자 신분증
- 가족관계증명서 1부(보호자 신청 시)
- 당해연도 처방전(치매 상병코드 및 치매약 품명 기재 요망)

5. 배회 가능 어르신 인식표 무료 보급

- 지원 대상 : 실종 위험이 있는 치매 환자 및 만 60세 이상 어르신
- 지원 신청 : 해당 지역치매안심센터
- 신청 기간 : 상시
- 구비서류
  - 발급대상자 사진(증명사진이나 핸드폰으로 찍어온 사진)
  - 발급대상자와 신청자의 주민등록증
  - 가족관계증명서
- 지급 방식
  - 구비서류를 가지고 치매안심센터 방문 후 신청서 및 개인 정보조회·처리·제공 동의서 작성
  - 신청 후 즉시 수령

6. 치매 고위험군 및 치매 어르신 쉼터 프로그램 운영

대상자들에게 전문적인 인지 자극 서비스를 제공하여 치매 발병 가능성을 감소시키고 치매 환자의 경우 악화 방지, 쉼터를 방문함으로써 사회적 접촉 및 교류 증진

- 대상 : 치매 조기 검진을 통해 치매 고위험군·치매로 등록관리 중인 어르신
- 일시 : 주말, 공휴일 제외 매일
- 프로그램 내용
  - 컴퓨터-보조 인지 재활 프로그램(실벗, 베러 코그)
  - 두근두근 뇌 운동
  - 반짝 활짝 뇌 운동
  - 치매 예방 체조
  - 작업치료, 운동치료, 원예치료, 미술치료, 음악치료 등

치매 상담콜센터 1899-9988

중앙치매센터 홈페이지 www.nid.or.kr

다음 두 번째로 걱정되는 부분이 시어머님이 증상이 심해지셨을 때는 더 이상 치매안심센터로 갔다 왔다 할 수 있는 상황이 아니기에 정부에서 지원해 주고 있는 노인장기요양보험을 이용하는 방법이 있는데 노인장기요양보험에 대해서도 알아보았다.

노인장기요양보장제도란?

65세 이상의 노인 또는 치매나 뇌 혈관성 질환 등 노인성 질병이 있는 '65세 이상자'가 6개월 이상 동안 혼자서 일상생활을 수행하기 어려워 수급자로 판정받은 경우에 장기요양기관으로부터 신체활동 또는 가사활동, 인지활동 지원 등의 장기 요양급여를 받을 수 있는 제도이다.

조건은 장기 요양 등급 판정위원회에서 6개월 이상 동안 혼자서 일상생활을 수행하기 어렵다고 인정하는 경우 심신 상태 및 장기 요양이 필요한 정도 등 등급 판정 기준에 따라 수급자로 판정하게 되는데, 처음에 인정신청을 하게 되면 간호사, 사회복지사, 물리치료사 등으로 구성된 공단 소속 장기 요양 직원이 직접 방문하여 [장기요양인정조사표]에 따라 아래의 항목을 조사한다.

[장기요양인정조사표]

영 역	항 목		
신체기능 (12항목)	·옷 벗고 입기	·세수하기	·양치질하기
	·식사하기	·목욕하기	·체위 변경하기
	·일어나 앉기	·옮겨 앉기	·방 밖으로 나오기
	·화장실 사용하기	·대변 조절하기	·소변 조절하기
인지기능 (7항목)	·단기 기억장애	·지시 불인지	
	·날짜 불인지	·상황판단력 감퇴	
	·장소 불인지	·의사소통/전달장애	
	·나이/생년월일 불인지		
행동 변화 (14항목)	·망상	·서성거림, 안절부절못함	·물건 망가트리기
	·환청, 환각	·길을 잃음	·돈/물건 감추기
	·슬픈 상태, 울기도 함	·폭언, 위험 행동	·부적절한 옷 입기
	·불규칙 수면, 주야혼돈	·밖으로 나가려 함	·대/소변 불결 행위
	·도움에 저항	·의미가 없거나 부적절한 행동	
간호 처치 (9항목)	·기관지 절개 관 간호	·경관 영양	·도뇨 관리
	·흡인	·욕창 간호	·장루 간호
	·산소요법	·암성통증 간호	·투석 간호
재활 (10항목)	운동장애(4항목)	관절제한(6항목)	
	·우측 상지 ·우측 하지	·어깨관절 ·팔꿈치관절 ·손목 및 수지 관절	
	·좌측 상지 ·좌측 하지	·고 관절 ·무릎관절 ·발목관절	

조사 후 인정 조사표 기준으로 등급을 판정하게 되는데, 등급 판정은 '건강이 매우 안 좋다.', '큰 병에 걸렸다', 등과 같은 주관적인 개념이 아닌 '심신의 기능 상태에 따라 일상생활에서 도움(장기 요양)이 얼마나 필요한가?'를 지표화한 장기 요양 인정 점수를 기준으로 합니다. 장기 요양 인정 점수를 기준으로 다음과 같은 6개 등급으로 등급 판정을 한다.

[장기요양등급판정기준]

장기요양 1등급	심신의 기능상태 장애로 일상생활에서 전적으로 다른 사람의 도움이 필요한 자로소 장기요양인정 점수가 95점 이상 인자	
장기요양 2등급	심신의 기능상태 장애로 일상생활에서 상당 부분 다른 사람의 도움이 필요한 자로소 장기요양인정 점수가 75점 이상 95점 미만 인자	
장기요양 3등급	심신의 기능상태 장애로 일상생활에서 부분적으로 다른 사람의 도움이 필요한 자로소 장기요양인정 점수가 60점 이상 75점 미만 인자	
장기요양 4등급	심신의 기능상태 장애로 일상생활에서 일정 부분 다른 사람의 도움이 필요한 자로소 장기요양인정 점수가 60점 이상 75점 미만 인자	
장기요양 4등급	치매(노인장기요양보험법 시행령 제2조에 따른 노인성 질병에 해당하는 치매로 한정)환자로서 장기요양인정 점수가 51점 이상 60점 미만 인자	
장기요양 인지지원등급	치매(노인장기요양보험법 시행령 제2조에 따른 노인성 질병에 해당하는 치매로 한정)환자로서 장기요양인정 점수가 45점 미만 인자	

등급을 판정 받으면 장기 요양급여에는 크게 재가급여, 시설급여, 특별 현금급여로 구분되는데 중복하여 이용할 수는 없으나 특별 현금급여(가족요양비) 지급 대상자의 경우에는 기타 재가급여(복지용구)는 추가로 이용할 수 있다.

첫 번째로 재가급여는 7가지로 지원받을수 있다.

방문요양 (방문당)
장기요양요원이 수급자의 가정 등을 방문하여 신체활동 및 가사활동 등을 지원하는 장기요양급여

인지활동형 방문요양 (방문당)
1-5등급 치매수급자에게 인지자극활동 및 잔존기능 유지.향상을 위한 일상생활 함께하기 훈련을 제공하는 급여 (기존의 방문요양과는 달리 빨래, 식사 준비등의 가사지원은 제공할수 없으나, 잔존기능인지.향상을 위해 수급자와 함께 옷개기, 요리하기 등은 가능함)

방문목욕 (방문당)
장기요양요원이 목욕설비를 갖춘 차량을 이용하여, 수급자의 가정을 방문하여 목욕을 제공하는 급여

방문간호 (방문당)
의사,한의사 또는 치과의사의 지시에 따라 간호사, 간호조무사 또는 치위생사가 수급자의 가정 등을 방문하여 간호, 진료의 보조, 요양에 관한 상담 또는 구강위생 등을 제공하는 급여

주.야간보호 (1일당)
수급자를 하루 중 일정한 시간 동안 장기 요양기관에 보호하여 목욕, 식사, 기본간호, 치매관리, 응급서비스 등 심신기능의 유지, 향상을 위한 교육, 훈련등을 제공하는 급여

단기보호 (1일당)
수급자를 월9일 이내 기간동안 장기요양기관에 보호하여 신체활동 지원 및 심신기능의 유지, 향상을 위한 교육, 훈련 등을 제공하는 장기요양급여

기타재가급여 (복지용구)
수급자의 일상생활 또는 신체활동 지원에 필요한 용구로서 보건복지부 장관이 정하여 고시하는 것을 제공하거나 대여하여 노인장기요양보험 대상자의 편의를 도모하고자 지원하는 장기요양급여

휠체어, 전동.수동침대, 목욕리프트, 욕창예방매트리스, 방석, 이동욕조, 성인용보행기

요양보호사가 수급자의 가정 등을 방문하여 신체활동 및 가사 활동 등을 지원하는 방문 요양, 그리고 장기 요양 요원이 목욕 설비를 갖춘 장비를 이용하여 수급자의 가정 등을 방문하여 목욕을 제공하는 방문목욕이 있다.

방문간호는 간호사, 간호조무사, 치과위생사가 의료인, 한의원 또는 치과 의료인의 방문간호 지시서에 따라 수급자의 가정 등을 방문하여 간호 진료의 보조나 요양에 관한 도움 구강위생 등을 제공한다.

주,야간 보호는 수급자를 하루 중 일정한 시간 동안 장기 요양 기관에 보호하여 신체나 인지 활동 지원 및 심신 기능의 유지 향상을 위한 교육 훈련 등을 한다.

단기 보호는 수급자를 일정 기간 장기 요양 기관에 보호하여 신체활동 지원 및 심신 기능의 유지 향상을 위한 교육 훈련 등을 한다.

인지 활동형 방문 요양은 치매 전문교육을 이수한 요양보호사가 인지훈련 도구를 활용하여 인지 자극 활동 제공 및 옷 개기, 식사 준비, 개인위생 활동 등의 일상생활을 수급자와 함께 수행하며 남아있는 신체와 인지기능의 유지 향상을 위한 훈련을 제공한다.

기타 재가급여(복지 용구)는 수급자의 일상생활과 신체활동 지원 및 인지기능의 유지 향상에필요한 용구를 제공한다.

복지 용구 급여란? 심신 기능이 저하되어 일상생활을 영위하는 데 지장이 있는 노인장기요양보험 대상자에게 일상생활, 신체활동 지원 및 인지기능의 유지, 기능 향상에 필요한 용구로써 보건복지부 장관이 정하여 고시하는 것을 구입하거나 대여하여 주는 것이다.

[복지 용구 항목]

● 급여품목

	구입품목(10종)	대여품목(6종)	구입 또는 대여품목(2종)
품목명	· 이동 변기 · 목욕 의자 · 성인용 보행기 · 안전손잡이 · 미끄럼방지 용품 (미끄럼방지매트, 미끄럼방지액, 미끄럼방지양말) · 간이 변기(간이 대변기, 소변기) · 지팡이 · 욕창 예방 방석 · 자세 변환 용구 · 요실금 팬티	· 수동휠체어 · 전동침대 · 수동 침대 · 이동 욕조 · 목욕 리프트 · 배회감지기	· 욕창 예방 매트리스 · 경사로(실내용, 실외용)

◆ 품목은 18종으로 한정하나 품목에 따른 각각의 제품은 수십 가지가 될 수 있으며, 구입 품목과 보건복지부 고시 과정에서 변경될 수 있음

    이용할 수 있는 복지 용구 품목의 확인 방법으로는 복지 용구 급여 확인서에 '사용이 가능한 복지 용구'에 해당하는 품목을 확인한다. 사용 가능 횟수가 정해진 품목을 복지 용구 재료의 재질 형태 기능 및 종류와 상관없이 사용 가능 햇수 내에서 품목당 1개의 제품만 구입 대여할 수 있다.

    성인용 보행기는 2개, 경사로(실내용)는 6개까지 구입할 수 있으며 전동침대와 수동 침대는 동일 품목으로 봅니다. 복지 용구 급여 제품은 노인 장기 요양 보험 홈페이지 〉 알림 자료실 〉 복지 용구 안내 〉 품목별 제품 안내에서 복지 용구 급여 제품을 검색할 수 있다.

그럼 재가급여 등급별 원 한도액은?

등급	월 한도액	본인부담 15%	재가급여 종류		
1	1,885,000원	282,750원	방문요양	기타재가급여 (복지용구)	인지활동형 방문요양
2	1,690,000원	253,500원			
3	1,417,200원	212,580원			
4	1,306,200원	195,930원	주.야간보호	단기보호	방문간호 · 방문목욕
5	1,121,100원	168,165원			
인지지원	624,600원	93,690원			

▶ 재가급여 등급별 월 한도액 (본인부담금 15%) [보건복지부,보도자료 2023년 장기요양보험료율]

두 번째로 시설급여 부분이 있다.

노인 요양 시설은 치매 중풍 등 노인성 질환 등으로 심신에 상당한 장애가 발생하여 도움이 필요한 노인을 시설에 입소시켜 급식 요양과 그 밖의 일상생활에 필요한 편의를 제공한다. 입소정원은 10명 이상이며 조인 요양 시설 내 치매 전담 실이 포함된다.

노인 요양 공동생활 가정은 치매 중풍 등 노인성 질환 등으로 심신에 상당한 장애가 발생하여 도움이 필요한 노인에게 가정과 같은 주거 여건에서 급식 요양 그밖에 일상생활에 필요한 편의를 제공한다. 입소정원은 5명에서 9명 이하이며 치매 전담 형 노인 요양 공동생활 가정 포함한다.

시설급여의 등급별 월 한도액은?

구분	등급	금액 (1일당)	월 한도액 (30일 기준)	본인부담
노인 요양 시설	1	78,250원	2,347,500원	469,500원
	2	72,600원	2,178,000원	435,600원
	3~5	66,950원	2,008,500원	401,700원
공동 생활 시설	1	68,780원	2,063,400원	412,680원
	2	63,820원	1,914,600원	382,920원
	3~5	58,320원	1,764,900원	352,980원

▶ 시설급여 등급별 월 한도액 (본인부담금 20%)

시설급여 종류

노인요양공동생활가정
●입소정원 : 5~9명

노인요양시설
●입소정원 : 10명이상

마지막 특별 현금급여는?

가족요양비는 장기 요양 기관이 현저히 부족한 섬이나 벽지 지역에 거주, 천재지변, 신체 정신 또는 성격 등 사유(노인장기요양보험법 시행령 제12조 제2항에 해당하는 경우에 한함)로 장기 요양기간이 제공하는 요양급여를 이용하기 어렵다고 인정하는 자에게 지급하는 현금급여이다. 이는 가족 등으로부터 방문요양에 상당하는 정도의 돌봄 서비스를 받은 대상에 지급한다. 가족요양비를 받으려는 사람은 가족요양비 지급 신청서 등을 국민건강보험공단에 제출해야한다. 가족요양비 수급자로 인정받은 사람이 다른 장기 요양급여를 이용하려면 국민건강보험공단에 요양급여 종류, 내용 변경 신청을해야 한다.

변경 신청 없이 다른 장기 요양급여를 이용한 경우 해당 급여비용은 전액 본인이 부담한다.

국가에서 운영하는 보험 제도, 이 제도를 받으시려면 전국 건강보험공단 지사 노인장기요양 보험 운영센터에서 방문 신청을 하시거나 국민건강보험 노인 장기 요양 홈페이지에서 신청할 수 있다.

신청자격은?

▶장기요양인정 신청

장기요양인정의 신청자격

·자격 : 장기요양보험가입자 및 그 피부양자, 의료급여수급권자
·대상 : 만65세 이상 또는 만65세 미만으로 노인성 질병을 가진 자

- ● 노인성질병 : 치매, 뇌혈관성질환, 파킨슨 병 등 대통령령으로 정하는 질병

- ● 장애인 활동지원 급여를 이용 중이거나 이용을 희망하는 경우 장애인활동지원 급여를 이용하기 전 장기요양보험 결과를 받게 되면 활동지원급여 신청이 제한 될 수 있으며, 장기요양등급을 포기하더라도 활동지원 급여를 신청할 수 없음.
(장애인 활동지원 문의 : 국민연금공단 ☎ 1355)

신청방법은?

장기요양인정의 신청
(노인장기요양보험법 제13조)

· 신청장소 : 전국 공단지사(노인장기요양보험운영센터)
  * 공단 지사 중 강남동부지사, 강남북부지사, 서초북부지사, 영등포북부지사, 광산출장소는 운영센터가 없어 장기요양 신청서 접수 이외의 장기요양 상담 및 업무 불가능
· 신청방법 : 공단 방문, 우편, 팩스, 인터넷(외국인은 불가능),
       [The건강보험] 앱 (외국인은 불가능)
  ※ 갱신신청의 경우 통화자의 신분확인 절차를 거쳐 유선 신청 가능
· 신청인 : 본인 또는 대리인
  ※ 대리인 : 가족,친족 또는 이해관계인, 사회복지전담공무원,
       치매안심센터의 장 (신청인이 치매환자인 경우에 한정), 시장.군수.구청장
       이 지정하는 자

우편이나 팩스 접수도 가능하며 준비해야 할 서류는 장기 요양 인정 신청서, 의료인 소견서, 본인 신분증이다.

이렇게 나라에서 지원해 주는 노인 장기 요양 보장 제도를 활용해서 가족들에게 조금은 비용적인 부분이나 돌봄 부분은 어느 정도 혜택을 받을 수 있지만 이 제도를 24시간 혜택을 받을 수는 없으니, 이후에 추가 적으로 들어가는 비용 부분이 걱정 안 될 수가 없는 것 같다.

만약에 집에서 재가급여 부분에 지원받고 나머지 시간을 개인 비용으로 요양보호사를 고용해 돌봄을 받는다면 이것 또한 월 비용이 만만치 않을 것이고 시설급여 부분에서도 노인요양시설에 자리가 나오지 않아서 대기를 타야 하는 상황이 온다면 사설 요양병원을 알아봐야 하는데 이것 또한 사설 시설에 따라 월 비용이 비싸기 때문에 그거에 대한 대책 마련으로 보장 자산 치매 특약보험을 준비해 이런 상황을 대비하는 것도 한 가지의 방법이다.

치매 환자들에게 들어가는 연간 비용은 얼마?
가족들이 준비해야 할 사항은?

우리는 치매 보험을 준비하지 못해 앞에서 말했듯이 나와 내 남편은 시어머님이 처음에는 치매안심센터를 이용 하신 후에 증상이 안 좋아 지면 집에서 재가급여 지원을 받고 남은 시간은 노인요양 시설이나 요양병원은 절대 보내지 않고 남편이 직장 휴직을 내고 집에서 프리랜서로 할 수 있는 일을 찾아서 본인이 시어머님 간병을 한다고는 했는데 아무리 그래도 전적으로는 힘든 부분도 있을 수도 있고, 추가로 들어갈 수 있는 비용도 생길 수도 있을 것이다.

그리고 우리 같은 방법이 아닌 다른 방법을 알아보려고 하시는 분들도 계시기에 정확하게 추가적인 비용도 얼마나 들어가는지 알아야 방법들을 찾을 수 있을 것 같다.

정부의 재가급여 지원을 받은 뒤 별도로 개인 비용으로 요양보호사를 이용 시에는 6시간 기준으로 시간당 12,500원으로 계산을 한다면 하루에 7만 5천 원 정도 한 달에 22일을 이용한다면 대략 1,650,000원의 비용이 든다, 이것을 1년으로 계산한다면 약 1,980만 원의 비용이 든다.

또 다른 개인 요양병원 시설을 이용한다면 보통 평균 한 달 150만 원의 비용이 든다고 하는데 이것 또한 대략 1,800만 원의 비용이 든다.

이렇게 1년에 들어가는 비용으로 따지면 평균 연간 2,000만 원에서 2,500만 원의 비용이 드는데 이 부분을 몇 년 동안 비용이 들어야 할지를 생각하면 어떻게 해결할 것인가 가 큰 중점이다.

이미 치매를 앓고 있는 가족이 있는 가정들은 알겠지만, 가족 중에 치매 가족이 없었던 젊은 세대들은 이런 부분들이 와 닿지 않을 수도 있다.

여러 통계에 따르면 지난해 우리나라 65세 이상 고령 인구는 900만 명을 넘어 전체 인구의 17.5%를 차지했으며 '25년에는 고령자 비율이 20.6%로 초고령사회에 진입할 것으로 예상된다.중앙치매센터에 따르면 '22년 65세 이상의 치매 환자와 치매 비율(유병률)은 각각 94만 명, 10.4%이며, '50년에는 300만 명을 돌파하고 16.6%에 이를 것으로 전망된다.보험인 노인장기요양보험 등급인정자 수는 '22년에 102만 명을 기록해 전체 노인 인구의 10.9%를 차지했으며, 최근 우리나라에서 고령화가 급격하게 진행됨에 따라 치매는 누구나 걸릴 수 있는 보편적인 질환이 되어 장기 요양 등급 인정자 수가 지속해서 증가할 것으로 전망되고 있다.

이런 뉴스들을 보면서 앞으로 고령화 시대에 노인성 질환들은 많이 발생할 것이고 나의 부모님들도 또한 이런 일들이 생길 수 있는 부분을 생각할 때 결국 대비하지 않으면 나중에 많이 고민해야 할 상황이 오기에 경각심을 가져야 할 것이다.

치매 간병 부담 지속 증가

건강보험공단에 따르면 국가에서 운영하는 장기요양보험의 1인당 연간 들어가는 돈은(비급여 제외) '22년 1,628만 원으로 지난 5년 간 12.2% 증가했다. 또한 치매 치료와 관련한 치매 환자의 건강보험 본인부담금은 '21년 2.2조 원으로 지난 5년간 34.8%가 증가해 경제적으로 큰 부담이 되는 것으로 분석됐다.특히 치매 환자에게 중요한 간병비는 최근 5년간 소비자물가 대비 2~3배 높은 상승률을 보이고 있어 문제가 심각한 상황이다. 급격한 고령화 관련 간병 수요 증가와 물가 상승 등에 따른 것으로 앞으로도 간병비 오름세는 당분간 계속될 것으로 우려되고 있다.

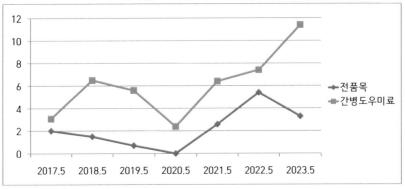

소비자물가지수(간병도우미료) 증가율

※ 통계청 소비자물가조사(품목별 소비자물가지수, 간병도우미료)

   그러나 간병 수요가 본격적으로 늘어나는 70대부터는 오히려 가입률이 19.2%로 떨어지고 80대 이상은 1.9%로 크게 낮아 초고령층의 대비가 부족한 것으로 분석됐다.보험개발원도 또한 초고령화 시대의 가장 두려운 질병에 대비하기 위하여 각종 성인병이나 가벼운 치매 발병이 시작되는 40~50대부터 미리 보험 가입을 서둘러야 할 필요가 있다며, 보험사는 치매와 같은 노인성 질환에 대한 교육·홍보와 상담 서비스를 확대해 소비자 인식과 간병·치매보험에 대한 이해를 높이고 병력자 등 다양한 소비자의 수요를 반영한 특화상품을 개발 등 소비자의 선택 폭을 넓히는 데 주력해야 한다고 강조했다.

   이렇기에 사실 우리도 치매 보험을 준비하지 못함으로써 금전적인 부분에서 걱정하는 만큼 앞으로 가면 갈수록 노인성 질환이 많이 발생하는 가운데 치매 보험으로 대비책을 세우는 것에 설계사로서가 아닌 경험자로서 권유하고 싶다.

아랫글은 치매 보험을 준비할 때 어떻게 준비해야 할지 간략하게 가입 시 고려 사항에 대해 설명해 보았다.

간병·치매보험 가입 시 고려사항

간병·치매보험은 소비자(피보험자)가 치매 진단이나 장기요양등급 판정을 받아 타인의 돌봄이 필요하게 된 경우 보험 가입 시 미리 정해둔 치료비와 간병비용 등을 보장해주는 상품으로 현재 생명보험 14개 사와 손해보험 8개 사에서 판매 중이기 때문에 각 보험사별 담보 사항이나 특약 특징에대해 정확하게 확인을 하고 보험료도 비교하여 준비하는 것이 좋다.

① 보장 내용을 충분히 확인 후 상품 선택: 간병보험은 상품마다 간병비 지급 사유가 치매 진단, 장기요양등급 판정 등으로 각각 다르므로 해당 상품의 보장 내용을 꼼꼼히 확인하고 선택한다.

② 보장해주는 치매 중증도 확인: 치매 담보는 크게 경도, 중등증, 중증 치매와 장기요양등급판정기준과 같이 치매 정도에 따라 지원되는 보험금이 달라지므로 원하는 보장 수준과 그에 따른 보험료 수준을 확인해야 한다.

[치매 담보 구성표]

구분	상품명
치매 진단	중증 치매보장
	중등도이상 치매보장
	경도이상 치매보장
	산정특례(치매)
	장기요양진단_1~2등급
	장기요양진단_1~3등급
	장기요양진단_1~5등급
	장기요양진단_1~인지지원등급
재가/시설 급여	재가급여_1~2등급(종신지급)
	재가급여_1~3등급(종신지급)
	재가급여_1~5등급
	시설급여_1~2등급(종신지급)
	시설급여_1~3등급(종신지급)
	시설급여_1~5등급
	주·야간보호보장_1~인지지원등급
치매 간병비	중증 치매간병비
	중등도이상 치매간병비
	경도이상 치매간병비
치매 입원	치매간병인사용입원(요양병원제외/요양병원/간호간병통합서비스/제외입원)
	치매 입원
치매 통원	치매 통원
	종합병원 치매통원
	상급종합병원 치매통원

[치매 CDR 척도 기준]

〈CR척도기준으로 치매 진단 구분〉

CDR1점 - 경증치매 - 경증치매진단비
CDR2점 - 중등도치매 - 중등도치매진단비CDR1점 - 중증치매
- 중증치매진단비
간병생활자금 - 중등도 , 중증 진단 시 매월 정해진 금액 생활
자금으로 종신 정액 지급

이 부분은 치매 보험을 준비한다면 경증치매진단비, 중등도치매진
단비, 중증치매진단비, 간병생활자금 종신지급 담보를 준비하는 것
이 좋다.

왜냐하면 사실 초기 치매부터 중증 치매까지 간병비용으로 1년에
돈이 꽤 많이 들어간다.

증상별로 따로 진단비를 준비하는 것이 좋다고 한 것은 보험사마
다 담보 한도가 있어서 각 담보별로 많은 비용을 준비할 수가 없다.

치매 초기 경증치매 진단을 받았을 때 최대한 좋은 치료약으로 증상이 더 나빠지지 않도록 하는 것이 환자나 가족에게도 좋은 것이기 때문에 초기 때 진단비를 최대한 많이 받아서 치료하는 데에 쓰는 걸 권유해 드리고, 그다음은 증상이 악화 되어서 재가나 시설에서 돌봄을 받을 때 돈이 많이 들어가기 때문에 중등도치매진단비, 중증치매진단비, (중등도.중증 진단 시) 매월 간병 생활비를 받는 것으로 많이 들어가는 간병 비용을 대체할 수 있기때문에 진단비들은 각각 증상별로 준비하는 것이 좋다.

〈장기요양등급판정기준〉

1등급, 2등급, 3등급, 4등급, 5등급, 인지지원등급

장기요양진단 1~2등급 - 장기요양진단 1~2등급 진단비
장기요양진단 1~3등급 - 장기요양진단 1~3등급 진단비
장기요양진단 1~5등급 - 장기요양진단 1~5등급 진단비
장기요양진단 1~인지지원등급 - 장기요양진단 1~인지지원등급
진단비

추가로 장기요양 진다비를 준비하는 것은 치매 보험에서 경증진단비, 중등도진단비, 중증진단비등은 의사로부터 치매 진단을 받으면 나오는 것인데 장기요양진단은 치매도 포함이 되면서 다른 노인성 질환도 포함이 되어 있기 때문에 보장 범위가 넓다.

장기요양등급판정기준

> ▶ **1등급**
> 일상생활에서 전적으로 다른사람의 도움이 필요한자로
> 장기요양인정점수가 95점 이상인자

> ▶ **2등급**
> 일상생활에서 상당부분으로 다른사람의 도움이 필요한자로
> 장기요양인정점수가 75점 이상 95점 미만인자

> ▶ **3등급**
> 일상생활에서 부분적으로 다른사람의 도움이 필요한자로
> 장기요양인정점수가 60점 이상 75점 미만인자

> ▶ **4등급**
> 일상생활에서 일정부분 다른사람의 도움이 필요한자로
> 장기요양인정점수가 51점 이상 60점 미만인자

> ▶ **5등급**
> 치매환자로서
> 장기요양인정점수가 45점 이상 51점 미만인자

> ▶ **인지지원등급**
> 치매환자로서 장기요양인정점수가 45점 미만인자

하지만 장기요양진단은 장기요양인정조사표에 따른 장기요양등급 조건에 해당되는 등급을 받아야 하는 단계가 있다보니 병원에서 치매 진단을 받는 것과는 조건 자체가 약간은 까다로운 절차로 장기요양진단 등급을 받게 돼서 등급을 받고 보험금을 받는 데 시간이

조금 걸릴 수도 있다. 그래서 경증,중등도,중증 진단비를 준비하고
서 병행하여 조금 더 보장 범위가 넓은 진단비를 준비하고자 할 때
준비하면 좋다.

그리고 별도로 재가급여(한 달에 재가급여 사용 시 정액금액 월
1회 지급) 담보와 시설급여(한 달에 시설급여 사용 시 정액금액 월
1회 지급) 담보들도 따로 있기 때문에 치매보험을 준비함에 있어서
보험료가 비싼 부분에서 부담이 된다면 재가급여와 시설급여 담보
로 간병비의 일부분을 도움받는 것으로 준비하는 것도 좋다.

③ 보험기간 및 보험료 수준 확인: 보험 혜택은 대부분 초고령에
받고 장기간 가입하는 특성이 있으므로 80세 이상의 나이도 보장이
되는지 여부와 보험료가 장기간 납입 가능한 수준인지 확인하고 가
입한다.④ 보험금 대리청구인 지정: 치매에 걸리고 난 이후에는 보
험 가입 사실을 기억하지 못할 가능성이 높으므로 보험 가입 사실
을 미리 가족 등 보호자에게 알리고 사전에 보험금 대리청구인을
지정하는 것이 바람직 하다.

아무쪼록 이 내용은 나의 경험담으로 치매 가족을 둔 가정에 조
금이나마 서로 공감이나, 위로를 받는 데 도움이 될 수 있었으면
좋겠고, 여러 가지 정보들을 이용해서 슬기롭게 잘 이겨 나갔으면
하는 바람입니다.

안 현 숙

행복누리캠퍼스대표 지식창업멘토 작가
yeppys1230@naver.com

행복누리캠퍼스(연구소)대표, 행복누리캠퍼스출판사 대표,
전)전남도립대 겸임교수 역임
코리아문화예술대상&자랑스런한국인상 경제부문
일자리창출혁신대상, 기능경기대회 심사위원역임
대한민국 기능장, 한국어교원, 사회복지사
코치 & 컨설팅, 글쓰기 책쓰기 지도
60에 시작한 역대연봉강사 힐! 머니가 온다 外 16권 저자

"경험은 가장 훌륭한 스승이다.
다만 학비가 비쌀 따름이다."

〈T. 칼라일〉

월 천만 원대 버는 오픈채팅방의 비밀:
메신저들의 성공 방정식

오픈채팅방 메신저들의 성공 방정식

Build
Your BRAND

60대에 오픈채팅방으로 돈벌이를 시작한 이유

63세 되던 해, 세상은 연초부터 소란스러웠다. 바이러스 공포로 마음마저 시끄러웠다. 코로나 직전까지는 평생을 강사로 일하며 살아가리라 생각했다. 그러나 코로나로 전 세계적인 팬데믹이 선포되자, 일자리를 잃고 생계를 이어갈 수 없는 상황이 되었다. 나이가 들어가는데 팬데믹이라는 상황에서 언제 개강할지도 모를 강의가 일시적으로 중단되었다. 새로운 일을 찾기 어려운 상황에 직면했다. 그때 조금이나마 보태주었던 정부의 지원금만으로는 기본적인 생계비는커녕 식비조차도 충당하기 힘들었다. 겨우 통신비 정도나 해결되는 상황이었다.

그러던 어느 날, 인터넷 세상에서 자본 없이 창업하는 방법이라고 하며 오픈채팅방을 통해 돈을 버는 새로운 방법에 대해 알게 되었다. 처음에는 믿기 어려웠지만, 다른 방법이 없던 터라 좀 더 적극적으로 알아보게 되었다. 특별한 시설 없이도 온라인에서 돈을 버는 일이 가능하다는 것과 그게 단군 이래로 가장 많은 돈을 벌 수 있는 세상이라는 것에 대한 놀라운 정보였다.

새로운 경험을 해보기 위한 호기심에서 오픈채팅방을 운영해 보기로 했다. 그러나, 점차 그 안에서 보이는 새로운 세상에 대해 놀라움을 느끼게 되었고, 이런 세상이 이미 우리 곁에 와 있었다는 사실에 놀라움을 느꼈다. 그래서 새로운 시작을 해보자고 결심했다. 먼저 이 길을 걸어왔던 사람들을 찾아 정보를 얻고 오픈채팅방부터 개설하였다.

오픈채팅방에 사람들을 모으기 시작했다. 200명 정도가 넘어서자, 평소 독서에 대한 열정과 관심이 있었기에, 독서에 대한 정보를 오픈채팅방에 공유하기 시작했다. 생각보다 많은 사람들이 독서 모임 채팅방에 참여하며, 내가 공유하는 정보에 관심을 두고 참여해 주었다는 것이 나에게는 큰 의미가 있었다.

그 당시로서는 이제 막 시작한 상태라 아직 부족한 것이 많았다. 그런데도 그들의 궁금증과 독서에 대한 이해를 돕기 위해 최선을 다했다. 아는 것은 최선을 다해서 알렸고 모르는 것은 물어보고 연구하며 독서팀을 이끌었다. 독서를 통해 지식과 경험을 나누면서 다른 곳에서 먼저 배우고 있었기에 알게 된 유익한 정보를 그들에게 제공해 주는 것에 대해 큰 보람을 느꼈다.

오픈채팅방을 운영한 지 2년이 지난 지금, 나는 안정적인 수익을 올리며 생활하고 있다. 자본 없이 창업이 가능했던 오픈채팅방은 내 최고의 사업장이 되어주었다. 시설비나 부대 시설이 필요 없는 무자본 창업이라는 것이 정말 큰 매력이었다. 상품 또한 지식 상품 즉 무형의 상품이기에 재고의 부담이 없다는 것은 얼마나 매력적인 일인가?

게다가, 내가 오픈채팅방을 운영하게 된 이유는 단순히 수익 창출만이 아니라 다른 가치를 찾기 위해서였다. 오픈채팅방이라는 곳이 돈을 벌 수 있을 뿐 아니라, 같은 방법을 전수하여 제2, 제3의 나 같은 지식 창업가들을 만들 수 있는 곳이었다. 나와 같은 힘든 현실에 있던 사람들이 현실을 극복할 수 있도록 돕고 싶었다. 나이와 학력이 아닌 노력이 중요하다는 것을 보여주고 싶었다.

힘들 때는 운이 따르지 않는다고 생각할 수도 있지만, 준비가 되어 있으면 운도 따라온다는 사실을 독서를 통해 배웠다. 이 사실을 알리고 모두가 함께 성공할 수 있기를 바라는 마음으로 오픈채팅방을 운영하고 있다. 오픈채팅방은 단순히 돈을 버는 수단이 아니라, 사람들과 소통하고 성장하는 도구로 활용하고 있다.

오픈채팅방을 통해 새로운 세상을 경험하고, 다양한 사람들과 교류하며, 나 자신을 성장시키는 기회를 얻었다. 오픈채팅방은 단순한 수익 창출의 수단이 아니라, 새로운 가능성을 발견하고, 성장시킬 수 있는 기회의 장이었다.

경험과 노하우를 공유하는 이유

"65세, 혼자서도 불가능할 것 같은 환경에 무릎 꿇지 않고 천만 원대 수익을 창출하는 사람" 누구의 서사가 이리 거창할 것 같은 가? 앞에서도 얘기했다시피 지방 도시, 무등산자락 아래 살고 있는 노인도 중년도 아닌 신중년 즉 에버그린 세대 독신, 즉 '나'라는 사람에 대한 얘기이다. 코로나로 강사라는 일자리를 잃었으나 혼자서도 그 환경에 주저앉아 무릎 꿇지 않았다. 도리어 오픈채팅방이라고 하는 온라인 플랫폼에서 경험은 없지만 그 공간에 건물을 세웠다. 덕분에 천만 원대 수익을 창출하는 사람이 되었다. 그 얘기를 해보고자 하는 것이다.

처음엔 온라인 세상에서 살아 나가는 방법도 모른 채 새로운 세계에 들어왔다. 미래를 대비한 준비가 부족한 상태에서 시작한 오픈채팅방은, 바로 돈을 버는 플랫폼으로 만들어 이용하기는 쉽지 않았다. 하지만 나는 도전해야 했고, 계속 해야 했고, 될 때까지 해야 하는 상황이었다. 누구에게도 나를 맡길 곳이라고는 없기에 일할 수 있음에 감사하며 가보지 않은 거친 길을 앞만 보며 걸었다. 이제는 재밌기까지 한 길은 지금은 많은 월 천만 원 버는 메신저들을 양성하고 있는 길이 되었다.

코로나로 인해 세상이 마비되다시피 되어 내가 살아오던 세상은 정지상태가 되었다. 두려움과 불안이 엄습하며 오만가지 근심·걱정이 내 주위를 모두 둘러싼 거 같은 느낌이 들었다. '하늘이 무너지면 어떡하나'라고 했다던 기우를 내가 다 짊어지고 앉아 나를 무너

뜨릴 것만 같았다. 그건 혼자서 살고 있는 나에게는 두려움을 넘어서 공포였다.

이 난관을 어떻게 뚫고나가야 할지 갈피를 잡을 수 없었다. 얼마나 마음 졸이고 기도했는지 모른다. 그 덕분인지 하늘도 내게 한 줄기 빛을 비추어 주었다. 온라인에서 오프라인보다 훨씬 많은 돈을 벌 수 있다는 얘기였다. 처음에는 믿기지 않았지만, 직접 확인하고 실행에 옮겼다. 그 결과 지금 과분한 수입을 올리고 있는 중이다.

처음에는 도무지 믿기지 않는 일을 믿기로 한 용기, 그것이 정말 가능한 일인지 철저히 검증한 노력, 그리고 먼저 이 길을 걸어간 멘토들의 조언을 통해 확신을 얻고, 교육비를 빚을 내며 투자하고 최선을 다해 묵묵히 길을 걸어온 끈기와 집념에 대견함을 느낀다.

지식창업이라는 생소한 길을 성공적으로 달리며 평생 처음으로 수입의 폭발적 증가, 진정한 팬들의 열렬한 지지와 멘토의 길, 그로인해 수많은 성공자의 탄생을 경험하게 되었다. 이러한 놀라운 성과는, 내가 가지고 있었던 꿈과 열정이 현실이 되었고, 비전과 사명이 적중했기 때문이라고 생각한다. 이처럼 온라인 세상에서의 성공은 누구나 이룰 수 있는 것이라는 것을 많은 사람들에게 알리고 싶다.

다른 사람을 돕고, 함께 성장하고, 사회에 기여하기 위해 경험과 노하우를 공유해 본다.

첫째, 나의 경험과 노하우는 다른 사람들에게 도움이 될 수 있다고 생각한다. 오픈채팅방 운영을 통해 얻은 시행착오와 지식을 공유함으로써, 타인이 더 나은 결과를 얻을 수 있기를 바란다.

둘째, 경험과 노하우를 공유하면 다른 사람들과 함께 성장할 수 있다. 혼자서 모든 문제를 해결하는 것보다는 다른 사람들과 협력하고 소통하는 것이 집단지성을 활용할 수 있기에 더 효과적이라고 믿는다.

셋째, 나의 지식을 나눔으로써 사회적 가치를 창출할 수 있다. 오픈채팅방을 통해 많은 사람에게 도움을 주고, 그들과 함께 성장하는 것이 사회에 기여하는 일이라고 생각한다.

넷째, 나의 경험과 노하우를 공유함으로써 나 자신의 성장과 발전에도 도움이 된다. 다른 사람들의 의견을 듣고 토론함으로써 내 생각과 행동을 발전시킬 수 있다.

나는 앞으로도 경험과 노하우를 공유하며, 다른 사람들과 함께 성장하고, 사회적 가치를 창출하는 데 노력할 것이다. 나의 경험과 노하우가 다른 사람들에게 도움이 되고, 나 자신의 성장과 발전에도 기여할 수 있기를 바란다.

오픈채팅방 특징과 성공사례

Build
Your BRAND

오픈채팅방의 정의와 특징

오픈 채팅방은 누구나 참여할 수 있는 채팅방을 말한다. 디지털 세상에서 오픈채팅방은 다양한 사용자들이 실시간으로 소통할 수 있는 공간이다. 지금까지 해왔던 폐쇄적인 채팅방과는 전혀 다른 흐름을 혁신하는 새로운 플랫폼이다. 일단 참여 장벽이 낮아 누구나 쉽게 접근하고 참여할 수 있는 특징을 가지고 있다. 이 매우 독특하고 혁신적인 플랫폼에서 참여자들은 특정 주제에 대한 의견을 교환하거나, 공동의 관심사를 공유하며 새로운 관계를 형성하는 데 기여할 수 있다. 사람들이 원하는 주제로 자유롭게 대화를 나눌 수 있게 해주고, 다양한 생각과 아이디어를 공유하게 함으로써 사람들의 사고의 폭을 넓혀주는 역할을 한다. 이러한 특성으로 인해 오픈 채팅방은 다양한 분야에서 활용되고 있으며, 새로운 소통의 패러다임으로 자리 잡아가고 있다.

오픈 채팅방의 특징은 다양하겠으나 크게 보면 세 가지로 나눌 수 있다.

첫째, 개방성이다. 오픈 채팅방은 참여 장벽이 낮아 누구나 쉽게 접근하고 참여할 수 있다. 이러한 개방성은 다양한 사람들과의 소통을 가능하게 하며, 이는 새로운 정보나 지식을 얻고, 다양한 관점을 이해하는 데 크게 기여한다.

둘째, 실시간성이다. 오픈 채팅방은 대화가 실시간으로 이루어지므로, 참여자들은 즉각적인 피드백을 주고받을 수 있다. 이는 정보의 신속한 교환을 가능하게 하며, 빠른 의사결정이 요구되는 상황에서 매우 유용하다.

셋째, 다양한 기능이다. 오픈 채팅방은 다양한 기능을 제공함으로써 사용자의 편의성을 높여준다. 대화 내용을 저장하고 참여자들의 프로필을 확인할 수 있을 뿐만 아니라, 특정 키워드를 검색하거나 음성 메시지를 보낼 수 있는 등의 다양한 기능들을 제공한다. 이렇게 다양한 기능들을 활용하면 사용자들은 편리하고 효과적으로 대화를 나눌 수 있다.

이렇게 오픈 채팅방은 새로운 소통의 패러다임으로서, 기업이든 개인이든 간에 다양한 분야에서 활용되고 있다. 기업에서는 고객과의 소통을 위해, 개인들은 취미나 관심사를 공유하기 위해 오픈 채팅방을 운영하고 있다. 또한, 오픈 채팅방은 다양한 주제와 참여자들의 다양성을 갖추고 있어, 새로운 아이디어와 창의적인 해결책을 발견하는 데 도움을 준다.

오픈 채팅방은 다양하게 활용되고 새로운 소통의 패러다임으로 자리 잡아 가고 있지만 다음과 같은 장단점을 가지고 있다.

장점

다양한 사람들과의 소통을 가능하게 한다.

새로운 정보나 지식을 얻고, 다양한 관점을 이해할 수 있다.

대화 주제나 참여 인원에 제한이 없어 자유롭게 대화를 나눌 수 있다.

실시간으로 대화가 가능해 빠른 의사결정이 요구되는 상황에서 유용하다.

다양한 기능을 제공하여 사용자의 편의성을 높여준다.

빠르게 정보를 전달할 수 있다.

단점

누구나 참여할 수 있다 보니 대화의 질이 떨어질 수 있다.

대화의 속도가 너무 빠르면 참여자들이 피로감을 느낄 수 있다.

다양한 기능의 활용이 사용하기 어려울 수도 있고 혼란을 줄 수 있다.

대화 주제나 참여 인원에 제한이 없어 대화가 중구난방으로 흐를 수 있다.

이와 같은 장단점을 고려하여 오픈 채팅방을 운영하거나 참여해야 한다. 이 중에 장점들을 이용하여, 나는 오픈채팅방을 통해 월천 이익을 얻는 성공자들을 많이 만들어냈다.

따라서 오픈채팅방이 개방성, 실시간성, 다양한 기능 등의 장점도 많지만, 동시에 무제한의 참여와 실시간성으로 인한 통제가 어렵게 되기도 한다. 따라서, 오픈채팅방의 운영 방식을 철저히 이해하고, 참여자들의 행동 패턴을 예측하고 관리하는 능력이 필요하다. 이런 어려움을 극복하기 위해 필요한 것은 참여자들의 행동을 예측하고, 적절한 규칙과 가이드라인을 설정하는 것이다. 이렇게 다양한 변수가 있는 오픈채팅방을 운영하는 나의 경험을 바탕으로, 이런 어려움을 해결해 나가는 것이 오픈채팅방을 통한 수익화의 핵심이라고 말할 수 있다.

그런데도 오픈 채팅방은 앞으로 더욱 발전해 나갈 것으로 기대된다. 오픈 채팅방은 새로운 커뮤니케이션의 패러다임으로서, 사람들의 소통 방식을 더욱 다양하고 효율적으로 변화시켜 가고 있다.

오픈채팅방의 성공 사례

오픈채팅방은 최근 다양한 분야에서 활용되며 성공을 거두고 있다. 그중에서도 다음과 같은 사례들이 대표적이다.

① 기업의 고객 소통

카카오톡은 기업용 오픈채팅방 '카카오톡 비즈니스'를 통해 기업들이 고객들과 실시간으로 소통할 수 있도록 지원하고 있다. 이 서비스를 통해 기업들은 고객들의 의견을 신속하게 수렴하고, 불만을 해결할 수 있으며, 새로운 제품이나 서비스에 대한 피드백을 받을 수 있다.

예를 들어, 한 대형 통신사는 카카오톡 비즈니스를 통해 고객들의 불만을 실시간으로 파악하고, 신속하게 해결함으로써 고객 만족도를 높이는 데 성공했다. 또한, 한 게임 회사는 카카오톡 비즈니스를 통해 고객들의 의견을 적극적으로 수렴하여 새로운 게임을 개발하는 데 활용하고 있다.

② 개인의 취미나 관심사 공유

오픈채팅방은 다양한 취미나 관심사를 가진 사람들이 모여 소통할 수 있는 공간으로 활용되고 있다. 예를 들어, 여행, 요리, 독서, 영화 등과 같은 주제별 오픈채팅방은 수십만 명 이상의 회원을 보유하고 있다.

이러한 오픈채팅방은 사람들에게 새로운 취미나 관심사를 발견하고, 관련 정보를 공유할 수 있는 기회를 제공한다. 또한, 같은 취미나 관심사를 가진 사람들과 교류함으로써 소속감과 유대감을 느낄 수 있게 한다.

③ 정보 공유와 커뮤니티 형성

오픈채팅방은 다양한 정보와 소식을 공유하고, 커뮤니티를 형성하는 공간으로 활용되기도 한다. 예를 들어, 정치, 경제, 사회, 문화

등과 같은 주제별 오픈채팅방은 최신 정보를 공유하고, 다양한 의견을 교류하는 장으로 활용되고 있다.

또한, 지역별, 직업별, 성별 등과 같은 공통 관심사를 가진 사람들이 모여 커뮤니티를 형성하는 오픈채팅방도 활성화되고 있다. 이러한 오픈채팅방은 사람들에게 정보를 얻고, 다양한 사람들과 교류할 수 있는 기회를 제공한다.

오픈채팅방의 성공 요인

오픈채팅방이 성공을 거두고 있는 요인으로는 다음과 같은 것들이 꼽힌다.

① 참여의 개방성

오픈채팅방은 누구나 쉽게 참여할 수 있다는 점에서 기존의 커뮤니케이션 채널과 차별화된다. 이러한 참여의 개방성은 다양한 사람들과의 소통을 가능하게 하며, 새로운 아이디어와 창의적인 해결책을 발견하는 데 기여한다.

② 실시간성

오픈채팅방은 실시간으로 대화가 이루어진다는 점에서 빠른 의사결정이 요구되는 상황에서 유용하다. 또한, 즉각적인 피드백을 주고받을 수 있다는 점에서 참여자들의 참여도를 높일 수 있다.

오픈채팅방은 다양한 기능을 제공함으로써 사용자의 편의성을 높여준다. 대화 내용을 저장하고, 참여자들의 프로필을 확인할 수 있을 뿐만 아니라, 특정 키워드를 검색하거나 음성 메시지를 보낼 수 있는 등의 다양한 기능들은 사용자들이 보다 편리하고 효과적으로 대화를 나눌 수 있도록 돕는다.

오픈채팅방의 발전 전망

오픈채팅방은 새로운 소통의 패러다임으로 자리 잡아가고 있다. 이러한 발전 전망을 바탕으로 오픈채팅방은 앞으로 더욱 다양한 분야에서 활용될 것으로 기대된다.

예를 들어, 오픈채팅방은 교육, 의료, 금융 등과 같은 분야에서 기존의 커뮤니케이션 채널을 대체하거나 보완하는 수단으로 활용될 수 있을 것이다. 또한, 오픈채팅방을 기반으로 한 새로운 서비스와 비즈니스 모델이 등장할 가능성도 높다. 개인 또한 오픈채팅방처럼 소통이 활발하고 실시간으로 반응하는 매체가 없기에 온라인을 이용한 비즈니스에는 사용도와 의존도가 더 높아질 수밖에 없다.

오픈채팅방은 그동안의 커뮤니케이션 방식을 변화시키고, 그로 인해 사람들의 삶에 물질적으로나 오픈채팅방을 활용한 삶의 질 향상에 있어서 이미 많은 변화를 불러왔다. 그러므로 앞으로도 다양한 분야에서 더욱더 많이 활용할 수밖에 없을 것으로 생각한다. 아마 나의 변화 속도 역시 오픈 채팅방이 없었다면 불가능했을 것이다. 이제 시대의 흐름에 따라 소통의 도구들도 자연스럽게 변화되어 가는 중이라는 것을 염두에 두고 시대에 맞게 잘 활용하자.

오픈채팅방 플랫폼 활용법

Build
Your BRAND

오픈채팅방 수익화 전략

오픈채팅방은 다양한 분야에서 활용되고 있으며, 그에 따라 수익화 전략도 다양하게 적용되고 있다. 그리고 그 방을 운영하는 방장에 따라서 반짝이는 아이디어들을 보면 가히 천재적이라고 할 수 있는 것들도 많다. 그중에서 대표적인 수익화 전략들을 보면 다음과 같은 방법들을 쓰고 있다. 물론 내가 모르는 방법들도 많을 것으로 생각되나 내가 아는 바를 정리해 보려 한다.

1. 광고

오픈채팅방은 실시간으로 대화가 이루어지며, 많은 사람이 참여하고 있다는 점에서 광고 매체로서의 가치가 높다. 이에 따라, 오픈채팅방을 통해 다양한 광고를 유치하여 수익을 창출하는 전략이 많이 사용되고 있다. 여기에서의 광고는 내가 오픈 채팅방장으로서 다른 오픈 채팅방이나 다른 매체에 광고할 때를 의미한다. 광고나 홍보는 오픈 방 운영자에게 양해를 구하고 서로 홍보하는 형식이다. 이런 광고나 홍보는 오픈 방의 방문자들에게 내 콘텐츠를 노출할 수 있다는 장점이 있다. 내 콘텐츠를 다른 오픈 방에 광고할 때는 대상층과 콘텐츠의 질, 수익화 방식 등을 고려하여 적절한 전략을 선택하는 것이 중요하다. 물론 내 방에 광고를 유치하고 그 대가를 받을 수도 있겠으나 아직은 그 정도의 파워가 형성된 것은 아니니 상호 홍보가 주를 이루나 여기서는 내가 다른 방에 광고할 때 방법들을 적어 본다.

광고를 통해 수익을 창출하기 위해서는 다음과 같은 사항을 고려해야 한다.

① 타겟팅

오픈채팅방은 다양한 주제와 참여자를 대상으로 운영되고 있기 때문에, 타겟팅이 매우 중요하다. 다른 오픈 방에 내 방의 콘텐츠를 홍보하기 위함이니 광고를 원하는 타겟층이 어떤 주제의 오픈채팅방을 이용하는지 분석하고, 그에 맞는 오픈 방을 선정해야 한다. 이를 통해 광고의 효과성을 높일 수 있다.

② 유입률

광고를 통해 오픈채팅방에 유입되는 비율, 즉 유입률도 중요하다. 유입률이 높을수록 광고 수익도 높아지기 때문이다. 이를 위해서는 광고의 내용과 형식을 효과적으로 설계해야 한다.

③ 정확도

광고의 정확도도 중요하다. 광고가 오픈채팅방의 주제와 관련이 없거나, 참여자들의 관심과 요구에 부합하지 않는다면, 광고 효과가 떨어질 수 있다. 광고의 내용이 내 콘텐츠의 내용과 일관되고, 참여자들의 관심과 요구에 부합해야 한다. 이를 통해 광고의 효과성을 높일 수 있다.

④ 가격

광고 비용도 적절하게 책정해야 한다. 오픈 방의 규모와 참여자 수, 광고의 내용 등에 따라 달라진다. 따라서, 적절한 광고 비용을 책정해야 한다. 어떤 방장들 같은 경우는 광고비를 주고 강의를 하거나 홍보를 하는 일이 있다. 본인의 전략에 따라 이런 광고를 하는 방장들도 있다. 그러나 나 같은 경우 이런 광고나 홍보는 하지 않는다

⑤ 콘텐츠

광고나 홍보하려는 콘텐츠는 참여자들의 관심과 요구에 부합해야 한다. 따라서, 참여자들이 관심을 가질 만한 유익하고 재미있는 콘텐츠를 제작해야 한다.

2. 콜라보레이션

다른 오픈 방 운영자와 협업하여 콜라보레이션 콘텐츠를 제작하는 방식도 있다. 콜라보레이션은 서로 다른 오픈 방의 참여자들을 대상으로 콘텐츠를 노출시킬 수 있다는 장점이 있다.

콜라보레이션을 통해 수익을 창출하기 위해서는 다음과 같은 사항을 고려해야 한다.

① 협업 상대
콜라보레이션을 진행할 상대는 내 콘텐츠와 관련성이 높은 오픈방 운영자여야 한다.

② 콘텐츠
콜라보레이션 콘텐츠는 참여자들의 관심과 요구에 부합해야 한다. 따라서, 참여자들이 관심을 가질 만한 유익하고 재미있는 콘텐츠를 제작해야 한다.

③ 광고 수익 분배
콜라보레이션을 통해 발생하는 광고 수익은 어떻게 분배할 것인지 사전에 협의해야 한다.

3. 유료 회원제

다른 오픈 방에 내 콘텐츠를 유료로 제공하는 방식이다. 유료 회원제는 참여자들이 내 콘텐츠를 보기 위해 회원비를 지불하는 방식이다. 유료 회원제는 참여자들의 꾸준한 참여를 유도할 수 있다는 장점이 있다.

유료 회원제를 통해 수익을 창출하기 위해서는 다음과 같은 사항을 고려해야 한다.

① 콘텐츠

유료로 제공되는 콘텐츠는 참여자들의 만족도를 높일 수 있어야 한다. 따라서, 참여자들이 만족할 만한 고품질의 콘텐츠를 제공해야 한다.

② 가격

유료 회원비는 콘텐츠의 질과 참여자 수 등을 고려하여 적절하게 책정해야 한다. 가격이 너무 비싸면 회원들이 가입을 꺼릴 수 있고, 너무 싸면 수익이 낮아질 수 있다.

4. 커머스

오픈채팅방을 통해 상품이나 서비스를 판매하는 전략이다. 오픈채팅방은 실시간으로 소통이 이루어진다는 점에서 상품이나 서비스에 대한 홍보와 판매에 효과적이다.

커머스 수익화 전략을 위해서는 다음과 같은 사항을 고려해야 한다.

① 상품이나 서비스

오픈채팅방에서 판매되는 상품이나 서비스는 참여자들의 관심과 요구에 부합하는 것이어야 한다. 따라서, 참여자들의 관심사를 분석하고, 그에 맞는 상품이나 서비스를 선정해야 한다.

② 마케팅

오픈채팅방을 통해 상품이나 서비스를 효과적으로 홍보하기 위해서는 적절한 마케팅 전략이 필요하다. 참여자들의 관심을 끌 수 있는 콘텐츠나 이벤트 등을 활용하여 홍보 효과를 높일 수 있다.

5. 기타

오픈채팅방을 통해 다양한 방식으로 수익을 창출할 수 있다. 예를 들어, 오픈채팅방을 기반으로 한 게임, 애플리케이션, 교육 콘텐츠 등을 개발하고 판매하거나, 오픈채팅방을 활용한 마케팅 대행 서비스 등을 제공하는 것도 가능하다.

오픈채팅방 수익화 전략을 성공적으로 수행하기 위해서는 다음과 같은 사항을 고려해야 한다.

① 목표 설정
오픈채팅방을 통해 어떤 방식으로 수익을 창출할 것인지, 그리고 그 목표는 무엇인지를 명확하게 설정해야 한다. 이를 통해 수익화 전략을 체계적으로 수립하고, 효과적으로 실행할 수 있다.

② 타겟팅
오픈채팅방을 통해 수익을 창출하기 위해서는 타겟팅이 매우 중요하다. 타겟층을 정확하게 파악하고, 그들의 관심과 요구에 부합하는 전략을 수립해야 한다.

③ 콘텐츠
오픈채팅방에서 제공되는 콘텐츠나 서비스의 질이 높아야 수익화 전략이 성공할 수 있다. 따라서, 참여자들이 만족할 만한 콘텐츠나 서비스를 제공하기 위해 노력해야 한다.

오픈채팅방 마케팅 전략

오픈채팅방의 성격에 따라 마케팅 전략은 달리 세워질 거라 생각한다. 나 같은 경우는 지식창업을 하고 지식창업을 하는 메신저들을 양성하고 있기에 무형의 제품을 파는 경우이다. 이렇게 무형의 상품을 판매하기 위한 오픈채팅방을 활용한 지식콘텐츠 마케팅 전략은 다음과 같은 단계로 진행할 수 있다.

1. 마케팅 목표 설정
마케팅을 통해 어떤 목표를 달성하기 원하는지 구체적이고 세부적인 목표를 명확하게 설정해야 한다. 예를 들어, 지식콘텐츠의 인지도를 높이기 위해 오픈채팅방을 활용할 것인지, 판매를 늘리기 위해 활용할 것인지, 또는 커뮤니티 형성을 위해 활용할 것인지 등을 결정해야 한다.

2. 타겟층 분석
지식콘텐츠의 타겟층이 어떤 주제의 오픈채팅방을 이용하는지 분석해야 한다. 이 분석을 통해 타겟층의 관심사와 요구사항을 파악해야 한다. 그렇게 함으로써 타겟층의 관심과 요구에 부합하는 마케팅 전략을 수립할 수 있다.

3. 콘텐츠 제작
타겟층의 관심과 요구에 부합하는 지식콘텐츠를 제작해야 한다. 또한, 참여자들의 이해를 돕기 위해 쉽고 재미있게 전달할 수 있어야 한다. 더욱 중요한 것은 참여자들이 참여하고 싶은 콘텐츠여야 한다.

4. 마케팅 채널 선정

지식콘텐츠를 홍보할 오픈채팅방을 선정해야 한다. 타겟층이 많이 이용하는 오픈채팅방을 선정하는 것이 효과적이다. 또한, 다양한 채널을 활용하여 노출도와 참여도를 높일 수 있는 방법을 찾아야 한다.

5. 마케팅 실행

선정된 오픈채팅방에 지식콘텐츠를 홍보하는 콘텐츠를 게시하거나, 이벤트를 진행하는 등의 방법으로 마케팅을 실행한다.

6. 효과 분석

마케팅의 효과를 분석하여, 향후 마케팅 전략을 개선해야 한다. 예를 들어, 참여자들의 반응을 분석하여 콘텐츠의 내용이나 형식을 수정할 수 있다.

구체적인 마케팅 방법은 다음과 같은 것들이 있다. 오픈채팅방을 활용한 지식콘텐츠 마케팅 방법은 다음과 같이 다양하다.

① 단순 노출: 지식콘텐츠의 홍보 문구와 링크를 게시하는 방법이다. 가장 기본적인 마케팅 방법이지만, 효과적인 타겟팅과 적절한 홍보 비용을 책정해야 한다.

② 콘텐츠 공유: 지식콘텐츠의 일부를 오픈채팅방에 공유하는 방법이다. 참여자들의 관심을 끌고, 콘텐츠에 대한 궁금증을 유발할 수 있다.

③이벤트 진행: 지식콘텐츠와 관련된 이벤트를 진행하는 방법이다. 참여자들의 참여를 유도하고, 콘텐츠를 홍보할 수 있다.

④제휴 마케팅: 다른 오픈채팅방 운영자와 제휴하여, 서로의 콘텐츠를 홍보하는 방법이다. 서로의 타겟층을 공유할 수 있기 때문에, 효과적인 마케팅 전략이 될 수 있다.

특히, 오픈채팅방을 활용한 지식 콘텐츠 마케팅 전략을 수립할 때는 다음과 같은 사항을 고려해야 한다.

① 타겟층의 관심과 요구: 타겟층이 어떤 주제에 관심이 있고, 어떤 정보를 원하는지 파악해야 한다. 이렇게 함으로써 효과적인 마케팅 콘텐츠를 제작할 수 있다.

② 오픈채팅방의 특성: 오픈채팅방은 실시간으로 대화가 이루어지는 공간이다. 따라서, 참여자들의 참여를 유도하고, 커뮤니티의 질을 유지하는 데 중점을 두어야 한다.

③ 지속적인 운영: 마케팅을 일회성으로 진행하는 것보다는, 지속적으로 진행하여 효과를 극대화해야 한다.

오픈채팅방을 활용한 지식 콘텐츠 마케팅은 기존의 마케팅 방식과는 차별화된 효과를 얻을 수 있다. 오픈채팅방을 통해 실시간으로 참여자들과 소통할 수 있기 때문에, 참여자들의 관심과 요구를 파악하고, 맞춤형 콘텐츠를 제공할 수 있다. 또한, 커뮤니티 형성을 통해 참여자들의 충성도를 높일 수 있다.

성공적인 오픈채팅방 운영을 위한 팁

오픈채팅방은 다양한 주제로 운영되고 있는 온라인 커뮤니티이다. 아울러, 오픈채팅방을 운영하는 것은 자신의 관심사를 공유하고, 새로운 사람들을 만나는 등 다양한 혜택을 누릴 수 있는 기회이다. 하지만, 오픈채팅방을 성공적으로 운영하기 위해서는 마케팅 전략, 시간 관리 방법, 스트레스 관리 방법 등 다양한 요소를 고려해야 한다.

마케팅 전략

오픈채팅방을 성공적으로 운영하기 위해서는 먼저, 타겟층을 명확히 하고, 그들의 관심사를 파악해야 한다. 타겟층을 파악한 후에는, 그들의 관심사를 충족시킬 수 있는 콘텐츠를 제작하고, 효과적인 마케팅 전략을 수립해야 한다.

오픈채팅방 마케팅 전략으로는 다음과 같은 방법들이 있다.

① 홍보 문구와 링크 게시

오픈채팅방의 홍보 문구와 링크를 게시하는 것은 가장 기본적인 마케팅 방법이다. 효과적인 홍보 문구와 링크를 작성하여, 참여자들의 관심을 끌 수 있도록 해야 한다.

② 콘텐츠 공유

오픈채팅방에서 제공하는 콘텐츠를 공유하는 것도 효과적인 마케팅 방법이다. 참여자들이 관심을 가질 만한 콘텐츠를 공유하여, 오픈채팅방에 대한 인지도를 높일 수 있다.

③ 이벤트 진행

이벤트를 진행하여 참여자들의 참여를 유도하는 것도 효과적인 마케팅 방법이다. 참여자들이 참여하고 싶은 이벤트를 기획하여, 오픈채팅방을 홍보할 수 있다.

④ 제휴 마케팅

다른 오픈채팅방 운영자와 제휴하여, 서로의 콘텐츠를 홍보하는 것도 효과적인 마케팅 방법이다. 서로의 타겟층을 공유할 수 있기 때문에, 효과적인 마케팅 전략이 될 수 있다.

시간 관리 방법

오픈채팅방을 운영하면서 가장 중요한 것은 시간 관리이다. 오픈채팅방 운영은 꾸준한 노력과 관리가 필요하기 때문이다.

오픈채팅방 운영을 위한 시간 관리를 잘하기 위해서는 다음과 같은 방법들을 실천할 수 있다.

① 일정을 계획하고, 우선순위를 정한다.
② 중요한 일은 먼저 처리한다.
③ 중간중간 휴식을 취하여 피로를 대비하고 집중력을 유지한다.

스트레스 관리 방법

오픈채팅방 운영은 다양한 사람들과 소통하고, 다양한 일을 처리해야 하므로, 스트레스를 받을 수 있다. 이때 스트레스를 잘 관리하기 위해서는 다음과 같은 방법들을 실천할 수 있다.

① 긍정적인 생각을 가져 스트레스를 줄인다.

② 취미 생활을 통해 스트레스를 해소하고, 재충전할 기회를 가진다.

③ 충분한 휴식을 취하여, 몸과 마음의 피로를 풀 수 있도록 한다.

오픈채팅방 운영은 자신의 관심사를 공유하고, 새로운 사람들을 만나는 등 다양한 혜택을 누릴 기회이다. 하지만, 성공적인 오픈채팅방 운영을 위해서는 마케팅 전략, 시간 관리 방법, 스트레스 관리 방법 등 다양한 요소를 고려해야 한다. 위에서 설명한 팁들을 참고하여, 성공적인 오픈채팅방 운영을 이루시기를 바란다.

오 순 금
제주아라행복강연센터장, 작가
nora5757@naver.com

온)디노꿈성장스쿨 대표, 주)생명단추제주지사장
전)공무원(정년퇴임), 강사활동, 사회복지사, 행정사
행복코디네이터, 전자책글쓰기지도사, 노인스포츠지도사
스마트폰활용지도사 등 다수

저서: 공저 〈5년 후 내가 나에게〉외 6권 저자

"사람은 반복적으로 행하는 것에 따라 판명되는 존재이다.
따라서 탁월함이란 하나의 행동이 아니라 하나의 습관이다."

〈아리스토텔레스〉

자기관리의 기술:

시간 관리와 습관 형성으로 더 나은 삶의 효율

시간 관리와 습관 형성의 중요성

시간 관리와 습관 형성이란 무엇인가?

시간 관리와 습관 형성은 효율적인 삶을 위한 중요한 요소다. 시간 관리는 우리가 보유한 시간을 최대한 효과적으로 활용하는 것을 의미하며, 일과 생활의 균형을 유지하고 목표를 달성하는 데 도움을 준다. 반면에 습관 형성은 일상적인 행동이 우리의 삶을 지배하는데, 이를 통해 원하는 변화를 끌어내고 지속적인 성공을 이룰 수 있다.

〈시간 관리란 무엇인가?〉

시간 관리란 한정된 시간을 효과적으로 활용하여 목표를 달성하고, 스트레스를 감소하고, 웰빙을 향상하는 것이다. 시간 관리는 다음과 같은 과정으로 이루어진다.

- 목표 설정: 자신이 달성하고자 하는 목표를 구체적이고 측정할 수 있게 정한다. 목표는 장기적이고 중요한 것부터 단기적이고 긴급한 것까지 다양하게 설정할 수 있다.

- 우선순위 결정: 목표들을 중요도와 긴급도에 따라 우선순위를 정한다. 우선순위가 높은 목표부터 낮은 목표까지 순서대로 한다.

- 계획 수립: 목표를 달성하기 위해 필요한 작업과 자원을 파악하고, 시간을 배분하고, 일정을 세운다. 계획은 현실적이고 유연하게 수립해야 한다.

- 실행 및 평가: 계획대로 작업을 수행하고, 결과를 평가하고, 문제점을 개선한다. 실행과 평가는 반복적으로 이루어져야 한다.

시간 관리는 다음과 같은 이점을 제공한다.

- 생산성 향상: 시간을 효율적으로 사용하면 더 많은 일을 더 잘할 수 있다. 시간 관리는 작업의 질과 속도를 높여준다.

- 스트레스 감소: 시간을 잘 관리하면 마감에 쫓기거나 미루거나 잊어버리는 일이 줄어든다. 시간 관리는 스트레스와 부담감을 줄여준다.

- 웰빙 증진: 시간을 잘 관리하면 일과 삶의 균형을 맞출 수 있다. 시간 관리는 건강과 행복을 증진해 준다.

〈습관 형성이란 무엇인가?〉

습관 형성이란 원하는 행동을 반복하여 자동화하고, 나쁜 습관을 개선하고, 좋은 습관을 유지하는 것이다. 습관 형성은 다음과 같은 과정으로 이루어진다.

- 트리거 설정: 습관을 시작하게 하는 자극이나 신호를 설정한다. 트리거는 외부적일 수도 있고, 내부적일 수도 있다. 예를 들어, 매일 아침 알람이 울리면 운동을 하는 것은 외부적인 트리거이고, 배가 고프면 물을 마시는 것은 내부적인 트리거이다.

- 루틴 구성: 습관을 구성하는 행동이나 행동 순서를 구성한다. 루틴은 가능한 한 단순하고 명확하게 만들어야 한다. 복잡하고 모호한 루틴은 습관 형성을 어렵게 만든다. 예를 들어, 매일 아침 10분 동안 스트레칭을 하는 것은 단순하고 명확한 루틴이고, 매일 아침 적당한 시간 동안 운동을 하는 것은 복잡하고 모호한 루틴이다.

- 보상 제공: 습관을 완료하고 난 후에 받는 긍정적인 결과나 감정을 제공한다. 보상은 습관을 강화하고, 동기를 부여하고, 만족감을 높여준다. 보상은 크고 작을 수도 있고, 물질적일 수도 있고, 정신적일 수도 있다. 예를 들어, 매일 아침 운동을 하고 난 후에 커피를 마시는 것은 작고 물질적인 보상이고, 매일 아침 운동을 하고 난 후에 자신의 몸매에 대해 자랑하는 것은 크고 정신적인 보상이다.

습관 형성은 다음과 같은 이점을 제공한다.

- 의지력 절약: 습관은 의식적인 노력 없이 자동으로 발생하는 행동이다. 습관은 의지력을 소모하지 않고, 시간을 절약하고, 에너지를 증가시킬 수 있다.

- 행동 변화: 습관은 우리의 행동과 생각을 근본적으로 바꿀 수 있다. 습관은 나쁜 습관을 개선하고, 좋은 습관을 유지하고, 새로운 습관을 만들 수 있다.

- 목표 달성: 습관은 우리의 목표와 가치에 부합하는 행동을 반복하게 한다. 습관은 우리의 목표를 달성하고, 성공과 행복을 느낄 수 있도록 도와준다.

〈시간 관리가 성공과 행복에 미치는 영향〉

시간 관리는 우리의 성공과 행복에 큰 영향을 미친다. 시간 관리는 우리가 목표를 달성하고, 스트레스를 감소하고, 웰빙을 향상하는 데 도움이 된다. 시간 관리는 다음과 같은 방법으로 우리의 성공과 행복에 기여한다.

- 목표 달성: 시간 관리는 우리가 목표를 구체적이고 측정할 수 있게 설정하고, 우선순위를 결정하고, 계획을 수립하고, 실행 및 평가를 통해 목표를 달성하는 데 필요한 과정을 돕는다. 시간 관리는

우리가 목표를 달성할 수 있는 확률을 높여준다. 목표를 달성하면 우리는 성취감과 자신감을 느낄 수 있다.

- 스트레스 감소: 시간 관리는 우리가 시간을 효율적으로 사용하고, 마감에 쫓기거나 미루거나 잊어버리는 일을 줄이고, 일과 삶의 균형을 맞추는 데 도움이 된다. 시간 관리는 우리가 스트레스와 부담감을 감소시킬 수 있다. 스트레스를 감소하면 우리는 건강과 행복을 증진할 수 있다.

- 웰빙 증진: 시간 관리는 우리가 시간을 잘 분배하고, 중요하고 의미 있는 일에 시간을 할애하고, 자신의 성장과 발전에 시간을 투자하고, 취미와 여가에 시간을 즐기는 데 도움이 된다. 시간 관리는 우리가 웰빙을 증진할 수 있다. 웰빙을 증진하면 우리는 삶의 질과 만족도를 높일 수 있다.

〈습관 형성이 성공과 행복에 미치는 영향〉

습관 형성도 우리의 성공과 행복에 큰 영향을 미친다. 습관 형성은 우리가 원하는 행동을 반복하여 자동화하고, 나쁜 습관을 개선하고, 좋은 습관을 유지하는 데 도움이 된다. 습관 형성은 다음과 같은 방법으로 우리의 성공과 행복에 기여한다.

- 의지력 절약: 습관은 의식적인 노력 없이 자동으로 발생하는 행동이다. 습관은 의지력을 소모하지 않고, 시간을 절약하고, 에너

지를 증가시킬 수 있다. 의지력을 절약하면 우리는 더 중요하고 어려운 일에 집중하고, 더 높은 목표에 도전할 수 있다.

- 행동 변화: 습관은 우리의 행동과 생각을 근본적으로 바꿀 수 있다. 습관은 나쁜 습관을 개선하고, 좋은 습관을 유지하고, 새로운 습관을 만들 수 있다. 행동을 변화시키면 우리는 더 나은 결과와 피드백을 얻을 수 있다.

- 목표 달성: 습관은 우리의 목표와 가치에 부합하는 행동을 반복하게 한다. 습관은 우리의 목표를 달성하고, 성공과 행복을 느낄 수 있도록 도와준다. 습관은 우리의 인생을 바꾸고, 우리의 꿈을 이루게 한다.

시간 관리와 습관 형성은 자기관리의 기술 중에서 가장 중요하고 효과적인 두 가지다. 시간 관리와 습관 형성은 우리의 성공과 행복에 큰 영향을 미친다. 시간 관리와 습관 형성은 우리가 목표를 달성하고, 스트레스를 감소하고, 웰빙을 향상하고, 의지력을 절약하고, 행동을 변화시키고, 꿈을 이루는 데 도움이 된다. 이 책에서는 이러한 기술을 더 깊이 있게 배우고, 실제로 적용할 수 있는 방법과 팁을 제공할 것이다.

"시간은 돈이 아니라 인생 그 자체다."
- 올버트 아인슈타인

시간 관리와 습관 형성의 원리와 방법

Build
Your BRAND

시간 관리와 습관 형성의 과학적인 근거와 원리

시간 관리와 습관 형성은 심리학과 뇌과학의 깊은 이해를 토대로 구축된 개념이다. 시간 관리는 인간의 주의력과 작업 효율성을 최적화하여 업무와 생활의 조화를 이루는 데 중점을 두며, 우선순위 설정, 집중력 유지, 작은 목표 설정 등이 포함된다. 습관 형성은 신경과학적 관점에서 뇌가 일정한 패턴을 인식하고 그에 따라 행동을 자동화하는 프로세스로, *행동-보상 반복*을 통해 신경망을 강화하고 새로운 습관을 형성한다. 이러한 원리는 인간의 행동을 변화시키고 삶의 질을 향상하는 데 중요한 역할을 한다.

〈시간 관리의 과학적인 근거와 원리〉

시간 관리는 우리의 뇌가 시간을 인식하고 처리하는 방식에 영향을 받는다. 뇌는 시간을 정확하게 측정하는 기계가 아니라, 상황과 환경에 따라 시간을 주관적으로 인식하고 조절하는 기능을 가지고 있다. 이러한 뇌의 시간 인식과 조절 기능은 다음과 같은 원리에 따라 작동한다.

- 시간의 탄력성 원리: 뇌는 시간을 고정된 단위로 인식하는 것이 아니라, 상황과 환경에 따라 시간을 늘리거나 줄이는 것으로 인식한다. 예를 들어, 즐거운 일을 하고 있을 때는 시간이 빨리 간다고 느끼고, 지루하거나 고통스러운 일을 하고 있을 때는 시간이 느리게 간다고 느끼는 것이 이 원리의 예다. 이 원리를 이용하면, 시간을 효과적으로 관리할 수 있다. 예를 들어, 중요하고 긴급한 일을 할 때는 시간을 늘리는 것으로 인식하도록 자신을 동기부여하고, 즐거운 일을 할 때는 시간을 줄이는 것으로 인식하도록 자신을 조절하는 것이 좋다.

- 시간의 관계성 원리: 뇌는 시간을 절대적으로 인식하는 것이 아니라, 다른 시간과의 관계로 인식한다. 예를 들어, 10분이라는 시간은 짧다고도 길다고도 느낄 수 있다. 10분 동안 잠을 자면 짧다고 느끼고, 10분 동안 발표를 하면 길다고 느끼는 것이 이 원리의 예다. 이 원리를 이용하면, 시간을 효과적으로 관리할 수 있다. 예를 들어, 작업의 시간을 적절하게 분할하고, 작업의 순서와 우선순위를 정하고, 작업의 목표와 결과를 명확하게 설정하는 것이 좋다.

〈습관 형성의 과학적인 근거와 원리〉

습관 형성은 우리의 뇌가 행동을 반복하고 자동화하는 방식에 영향을 받는다. 뇌는 행동을 반복하면서 그 행동에 대한 신경회로를 강화하고, 그 행동을 자동으로 발생시키는 신경망을 이러한 뇌의 행동 반복과 자동화 기능은 다음과 같은 원리에 따라 작동한다.

- 습관의 순환 원리: 습관은 트리거, 루틴, 보상으로 이루어진 순환 구조를 가진다. 트리거는 습관을 시작하게 하는 자극이나 신호이고, 루틴은 습관을 구성하는 행동이나 행동 순서이고, 보상은 습관을 완료하고 난 후에 받는 긍정적인 결과나 감정이다. 이 순환 구조를 통해 습관은 강화되고 유지된다. 이 원리를 이용하면, 습관을 효과적으로 형성하거나 제거할 수 있다. 예를 들어, 새로운 습관을 형성하려면 트리거를 설정하고, 루틴을 구성하고, 보상을 제공하는 것이 좋다. 나쁜 습관을 제거하려면 트리거를 피하거나 바꾸고, 루틴을 대체하거나 바꾸고, 보상을 제거하거나 바꾸는 것이 좋다.

- 습관의 쌓임 원리: 습관은 기존의 습관과 연결되어 쌓이는 구조를 가진다. 습관은 새로운 습관을 형성하기 위해 기존의 습관을 활용하거나, 기존의 습관을 개선하기 위해 새로운 습관을 추가한다. 이 쌓인 구조를 통해 습관은 복잡하고 다양하게 구성된다. 이 원리를 이용하면, 습관을 효과적으로 형성하거나 제거할 수 있다. 예를 들어, 새로운 습관을 형성하려면 기존의 습관과 연결해서 쌓아가는 것이 좋다. 나쁜 습관을 제거하려면 기존의 습관을 분해하거나 바꾸는 것이 좋다.

시간 관리와 습관 형성의 실천적인 방법과 전략

시간 관리와 습관 형성은 자기관리의 기술 중에서 가장 중요하고 효과적인 두 가지다.

〈시간 관리를 위한 방법과 전략〉

시간 관리를 위해 다음과 같은 방법과 전략을 사용할 수 있다.

- 할 일 목록 작성: 하루, 일주일, 한 달, 한 해 등의 기간 동안 해야 할 일을 목록으로 작성한다. 할 일 목록은 작업의 범위와 우선순위를 파악하고, 계획을 수립하고, 진행 상황을 추적하는 데 도움이 된다. 할 일 목록은 가능한 한 구체적이고 측정할 수 있게 작성하고, 정기적으로 검토하고 업데이트해야 한다.

- 우선순위 행렬 사용: 할 일 목록에 있는 작업을 중요도와 긴급도에 따라 네 가지 영역으로 분류하는 행렬을 사용한다. 우선순위 행렬은 다음과 같다.

① 중요하고 긴급한 작업: 즉시 처리해야 하는 작업이나 문제다. 예를 들어, 마감이 임박한 프로젝트, 긴급한 회의, 고객의 불만 등이 있다. 이러한 작업은 최우선으로 처리해야 한다.

② 중요하지만 긴급하지 않은 작업: 장기적인 목표나 가치에 기여하는 작업이나 계획이다. 예를 들어, 자기 계발, 관계 유지, 건강관

리 등이 있다. 이러한 작업은 미리 계획하고 일정에 예약해야 한다.

③ 중요하지 않고 긴급한 작업: 다른 사람이 요청하거나 강요하는 작업이나 일이다. 예를 들어, 불필요한 메일, 전화, 회의 등이 있다. 이러한 작업은 가능한 한 미루거나 위임하거나 거절해야 한다.

④ 중요하지도 않고 긴급하지도 않은 작업: 시간 낭비나 방해 요소가 되는 작업이나 활동이다. 예를 들어, 소셜 미디어, 유튜브, 게임 등이 있다. 이러한 작업은 최대한 피하거나 제한해야 한다.

- 일정표 작성: 할 일 목록에 있는 작업을 시간 순서대로 정리하고, 각 작업에 소요되는 시간을 추정하고, 캘린더나 플래너에 기록하는 표를 작성한다. 일정표는 작업의 순서와 우선순위를 명확하게 하고, 시간을 효율적으로 배분하고, 일과 삶의 균형을 맞추는 데 도움이 된다. 일정표는 현실적이고 유연하게 작성하고, 정기적으로 검토하고 조정해야 한다.

- 타이머 사용: 작업을 수행할 때 시간을 측정하고 제한하는 도구를 사용한다. 타이머는 작업에 집중하고, 시간을 절약하고, 휴식을 취하는 데 도움이 된다. 다양한 방법으로 사용할 수 있다. 예를 들어, 타임박싱, 타임 블로킹, 포모도로 기법 등이 있다.

〈습관 형성을 위한 방법과 전략〉

습관 형성을 위해 다음과 같은 방법과 전략을 사용할 수 있다.

- 스마트 목표 설정: 습관을 형성하기 위한 목표를 구체적이고 측정할 수 있고 도달할 수 있고 관련 있고 시간제한이 있는 SMART 방식으로 설정한다. 스마트 목표는 습관 형성의 과정을 명확하고 쉽게 만들고, 진행 상황을 추적하고, 결과를 평가하는 데 도움이 된다. 스마트 목표는 다음과 같은 형식으로 작성할 수 있다.

- 나는 (구체적이고 측정할 수 있는 행동)을 (도달할 수 있는 수준) (관련 있는 이유) 때문에 (시간제한) 안에 하겠다.

- 예를 들어, 나는 건강을 챙기기 위해 매일 아침 30분 동안 운동하겠다.

- 작은 단계로 시작: 습관을 형성하기 위한 행동을 가능한 한 쉽고 간단하게 시작한다. 작은 단계로 시작하면 습관을 형성하는 데 필요한 의지력과 동기를 절약하고, 습관을 지속하고, 습관을 강화할 수 있다. 작은 단계로 시작하면 다음과 같은 이점이 있다.

- 습관을 시작하는 데 거부감이나 부담감이 줄어든다.
- 습관을 유지하는 데 자신감이나 만족감이 증가한다.
- 습관을 개선하는 데 여유와 기회가 생긴다.

- 트리거와 보상 활용: 습관을 형성하는 데 필요한 자극과 결과를 활용한다. 트리거는 습관을 시작하게 하는 외부적이나 내부적인 신호이고, 보상은 습관을 완료하고 난 후에 받는 긍정적인 결과나 감정이다. 트리거와 보상은 습관을 강화하고 유지하는 데 도움이 된다. 트리거와 보상을 활용하려면 다음과 같이 해야 한다.

*트리거를 설정하고 명확하게 인식한다. 트리거는 습관을 시작하기 쉽게 만들어야 한다. 트리거는 다양한 형태가 될 수 있다. 예를 들어, 시간, 장소, 사람, 감정, 이전 행동 등이 있다. 트리거는 습관과 연관성이 높고 일관성이 있어야 한다. 트리거는 습관과 함께 반복적으로 발생해야 한다.

*보상을 제공하고 적절하게 조절한다. 보상은 습관을 완료한 후에 즉각적이고 명확하게 받아야 한다. 보상은 습관과 연관성이 높고 강도가 적절해야 한다. 보상은 습관을 유지하고 강화하는 데 동기를 부여해야 한다. 보상은 습관이 자동화되기 전까지 제공하고, 그 후에는 간헐적으로 제공해야 한다.

- 동료와 공유: 습관을 형성하는 데 동료의 도움과 지지를 받는다. 동료는 습관을 공유하고, 피드백을 주고, 격려하고, 동기를 부여하는 역할을 한다. 동료는 습관 형성의 과정을 즐겁고 의미 있게 만들어 준다. 동료와 공유하려면 다음과 같이 해야 한다.

*습관을 형성하는 목표와 이유를 동료에게 알려준다. 동료에게 습관을 형성하는 목표와 이유를 공유하면, 습관에 대한 책임감과 투

명성을 높일 수 있다. 동료에게 습관을 형성하는 목표와 이유를 공유하면, 습관에 대한 동의와 지지를 얻을 수 있다.

*습관을 형성하는 진행 상황과 결과를 동료에게 보고한다. 동료에게 습관을 형성하는 진행 상황과 결과를 보고하면, 습관에 대한 피드백과 평가를 받을 수 있다. 동료에게 습관을 형성하는 진행 상황과 결과를 보고하면, 습관에 대한 인정과 보상을 받을 수 있다.

*습관을 형성하는 과정에서 동료와 협력하고 경쟁한다. 동료와 습관을 형성하는 과정에서 협력하면, 습관에 대한 동기와 자신감을 높일 수 있다. 동료와 습관을 형성하는 과정에서 경쟁하면, 습관에 대한 도전과 성취감을 높일 수 있다.

시간 관리와 습관 형성은 자기관리의 기술 중에서 가장 중요하고 효과적인 두 가지다. 시간 관리와 습관 형성을 실제로 적용하고 실행하기 위한 방법과 전략에 대해 알아보았다. 이 책에서는 이러한 기술을 더 깊이 있게 배우고, 실제로 적용할 수 있는 방법과 팁을 제공할 것이다.

"시간은 관리할 수 없지만,
우리의 우선순위와 선택은 관리할 수 있다."
- 스티븐 코비

시간 관리와 습관 형성의 사례와 팁

시간 관리와 습관 형성의 성공적인 사례와 인물

시간 관리와 습관 형성은 자기관리의 기술 중에서 가장 효과적이고 필수적인 두 가지다. 시간 관리와 습관 형성을 잘하는 사람들은 삶의 질과 효율성을 높이고, 목표와 꿈을 이루는 데 성공한다. 반면에 시간 관리와 습관 형성을 못 하는 사람들은 삶의 낭비와 불만을 증가시키고, 목표와 꿈을 포기하는 데 실패한다.

〈시간 관리의 성공적인 사례와 인물〉

시간 관리의 성공적인 사례와 인물은 다음과 같다.

** 빌 게이츠: 마이크로소프트의 창업자이자 세계 최고의 부자 중 한 명인 빌 게이츠는 시간 관리의 달인으로 알려져 있다. 빌 게이

츠는 하루를 5분 단위로 쪼개서 일정을 관리하고, 불필요한 시간 낭비를 최소화한다. 빌 게이츠는 자신의 시간을 가장 중요하고 가치 있는 자산으로 여기고, 시간을 투자하고 활용하는 방법을 잘 알고 있다. 빌 게이츠는 자신의 시간을 세 가지 영역으로 나누어 관리한다.

 - 생각하는 시간: 빌 게이츠는 매일 1시간 이상을 생각하는 시간으로 활용한다. 빌 게이츠는 생각하는 시간을 통해 자신의 비전과 목표를 명확히 하고, 문제를 해결하고, 아이디어를 발전시킨다. 빌 게이츠는 생각하는 시간을 가장 중요하게 여기고, 방해를 받지 않도록 조용하고 평화로운 곳에서 집중한다.

 - 읽는 시간: 빌 게이츠는 매일 2시간 이상을 읽는 시간으로 활용한다. 빌 게이츠는 읽는 시간을 통해 자신의 지식과 견문을 넓히고, 다양한 분야의 정보와 트렌드를 파악하고, 새로운 영감과 통찰을 얻는다. 빌 게이츠는 읽는 시간을 가장 즐겁게 여기고, 자신의 관심과 필요에 따라 다양한 책을 선택한다.

 - 만나는 시간: 빌 게이츠는 매일 3시간 이상을 만나는 시간으로 활용한다. 빌 게이츠는 만나는 시간을 통해 자신의 비즈니스와 사회적 활동을 진행하고, 유능하고 영향력 있는 사람들과 교류하고, 협력과 파트너십을 구축한다. 빌 게이츠는 만나는 시간을 가장 효율적으로 여기고, 미리 준비하고, 목적과 결과를 명확히 한다.

** 벤자민 프랭클린: 미국 건국의 아버지이자 천재적인 발명가, 정치가, 작가, 사업가, 외교관인 벤자민 프랭클린은 시간 관리의 모범적인 인물로 알려져 있다. 벤자민 프랭클린은 하루를 4시간씩 4개의 영역으로 나누어 일정을 관리하고, 자신의 삶을 규칙적이고 체계적으로 운영했다. 벤자민 프랭클린은 자신의 시간을 다음과 같은 영역으로 나누어 관리했다.

- 일어나는 시간: 벤자민 프랭클린은 새벽 5시에 일어나서 9시까지 일어나는 시간으로 활용했다. 벤자민 프랭클린은 일어나는 시간을 통해 자신의 하루를 계획하고, 목표를 설정하고, 건강을 챙기고, 독서와 글쓰기를 했다. 벤자민 프랭클린은 일어나는 시간에 자신이 하루 동안 해야 할 일과 그 이유를 적고, 자신에게 물었다. "오늘 나는 무엇을 위해 살겠는가?"

- 일하는 시간: 벤자민 프랭클린은 오전 9시부터 오후 12시까지, 오후 2시부터 오후 6시까지 일하는 시간으로 활용했다. 벤자민 프랭클린은 일하는 시간을 통해 자신의 직업과 사업을 수행하고, 발명과 연구를 하고, 공공의 이익을 위해 봉사했다. 벤자민 프랭클린은 일하는 시간에 자신의 업무를 우선순위에 따라 정리하고, 시간을 측정하고, 결과를 평가했다.

- 식사하는 시간: 벤자민 프랭클린은 오후 12시부터 오후 2시까지 식사하는 시간으로 활용했다. 벤자민 프랭클린은 식사하는 시간을 통해 자기 식사와 휴식을 챙기고, 가족과 친구들과 교류하고, 즐겁게 지냈다. 벤자민 프랭클린은 식사하는 시간에 자신의 식단을

건강하게 관리하고 영양을 고려하여 식사를 채워 나갔다. 그는 건강을 주요하게 생각하며 식사를 통해 에너지를 얻어 일상생활에서 최대한 효율적으로 활동했다. 이를 통해 그는 건강과 행복을 유지하며 생활하는 방법을 찾아냈다.

습관 형성의 성공적인 사례는 다음과 같다.

** 스티븐 킹: 세계적인 베스트셀러 작가인 스티븐 킹은 매일 2,000단어 이상을 쓰는 습관을 지니고 있다. 스티븐 킹은 쓰기를 자신의 일과 같이 취급하고, 매일 아침 8시부터 12시까지 책상에 앉아서 쓰기를 시작한다. 스티븐 킹은 쓰기를 자기 삶의 일부로 만들고, 쓰기에 대한 열정과 동기를 잃지 않는다. 스티븐 킹은 쓰기 습관을 통해 수백만 부의 책을 팔고, 수많은 상을 받았다.

** 오프라 윈프리: 미국의 유명한 방송인이자 사업가인 오프라 윈프리는 매일 아침 일기를 쓰는 습관을 지니고 있다. 오프라 윈프리는 일기를 쓰는 것이 자신의 감정과 생각을 정리하고, 자기 삶에 감사하고, 자신의 목표와 비전을 명확히 하는 데 도움이 된다고 말한다. 오프라 윈프리는 일기를 쓰는 습관을 통해 자신의 삶을 더욱 풍요롭고 의미 있게 만들었다.

** 마크 주커버그: 페이스북의 창업자이자 최고경영자인 마크 주커버그는 매년 새로운 습관을 형성하는 것을 목표로 삼고 있다. 마크 주커버그는 매년 자신의 삶을 개선하고, 새로운 도전을 하고, 새로운 것을 배우기 위해 다양한 습관을 시도한다. 예를 들어, 마크

주커버그는 한 해 동안 매일 책을 읽기, 매일 새로운 사람과 대화하기, 매일 운동하기, 매일 명상하기, 매일 코딩하기 등의 습관을 형성했다. 마크 주커버그는 새로운 습관을 형성하는 것이 자신의 사고와 행동을 변화시키고, 자신의 비즈니스와 사회적 활동에 긍정적인 영향을 미친다고 말한다.

이상 습관 형성의 성공적인 사례와 인물에 대해 알아보았다. 습관 형성은 우리의 삶을 더 효율적이고 의미 있게 만드는 데 도움이 된다. 습관 형성을 위해서는 명확한 목표와 동기, 작은 단계와 보상, 일정한 시간과 장소, 사회적 지원, 그리고 지속적인 평가와 조정이 필요하다. 우리도 습관 형성의 성공적인 사례와 인물을 본받아, 우리의 삶을 더욱 성공적으로 만들어 나가기를 바란다.

시간 관리와 습관 형성의 유용한 팁과 요령

시간 관리와 습관 형성은 자기관리의 기술 중에서 가장 효과적이고 필수적인 두 가지다. 시간 관리와 습관 형성을 잘하면 삶의 질과 효율성을 높이고, 목표와 꿈을 이루는 데 성공할 수 있다. 반면에 시간 관리와 습관 형성을 못 하면 삶의 낭비와 불만을 증가시키고, 목표와 꿈을 포기하는 데 실패할 수 있다.

시간 관리와 습관 형성은 개인과 조직의 성공을 위해 중요한 핵심 요소다. 효과적인 시간 관리를 위해 목표 설정과 우선순위 결정이 필수적이다. 할 일을 리스트로 만들고 중요한 일부터 처리하는 것으로 시간을 효율적으로 활용할 수 있다. 또한, 일정 관리와 계획 세우기가 필요하다. 일정을 관리하고 자신에게 맞는 시간 분배 방식을 찾아 목표를 달성할 수 있다.

습관 형성을 위해서는 꾸준함과 인내가 필요하다. 작은 변화부터 시작해 천천히 습관을 만들어가야 한다. 일정한 시간과 장소를 정하고, 주변 환경을 조성하여 습관을 만들 수 있다. 예를 들어, 운동 습관을 만들기 위해 운동화를 놓치지 않고 준비하는 등의 환경을 조성할 수 있다.

또한, 자기관리와 휴식이 필수적이다. 스트레스 관리와 건강 유지를 위해 자기관리에 시간을 할애해야 하며, 휴식을 취함으로써 몸과 마음을 회복시킬 수 있다. 균형 있는 라이프 스타일을 유지하며 습관을 만들기 위한 기초를 다질 수 있다.

실패와 변화에 대한 유연성을 유지해야 한다. 실패는 성공을 향한 시도의 한 부분이며, 새로운 방법을 시도하고 적응하는 것이 중요하다. 완벽을 추구하기보다는 실패를 수용하고 성장할 수 있는 기회로 삼는 것이 중요하다. 지속적인 노력과 유연성을 유지하여 성공적인 시간 관리와 습관 형성을 이루어 낼 수 있다.

시간 관리와 습관 형성은 자기관리의 기술 중에서 가장 효과적이고 필수적인 두 가지다. 시간 관리는 한정된 시간을 효율적으로 활용하여 목표를 달성하는 것이고, 습관 형성은 반복적인 행동을 자동화하여 목표를 달성하는 것이다. 시간 관리와 습관 형성을 잘하면 삶의 질과 효율성을 높이고, 목표와 꿈을 이루는 데 성공할 수 있다.

이 책을 읽고 나면, 시간 관리와 습관 형성이 삶의 효율성을 높이는 데 얼마나 중요하고 유용한 것인지 깨닫게 될 것이다. 시간 관리와 습관 형성은 단순히 시간을 잘 쓰고 좋은 습관을 만드는 것이 아니라, 자신의 삶을 주도적으로 설계하고 실행하는 것이다. 이 책에서 소개된 원리와 방법, 사례와 팁들을 참고하여, 자신만의 시간 관리와 습관 형성 전략을 세우고 실천해 보세요. 그러면, 더 나은 삶의 효율성을 달성할 수 있을 것이다. 당신의 삶이 더 풍요롭고 행복하길 바란다.

"하루를 제대로 시작하면 반 이상은 이미 성공한 것이다."
- 조지 마시건

유 경 애
dudrhkd3927@naver.com

"포기하지 말고 끊임없이 도전하라!"!

인생이막을 여는
60대를 응원하며

퇴직을 준비하다

우연히 마주한 웹사이트에서 클릭하게 되어, 처음으로 디지털 노마드라는 용어를 접하게 되었다. 디지털 노마드? 문득, 이게 무슨 뜻인지 궁금해졌다. 디지털이라는 말이 떠오르면, 나에게는 휴대전화나 컴퓨터가 먼저 생각나곤 했다. 그것들을 이용해 간단한 검색을 하거나, 원하는 상품을 찾아 쇼핑하고, 또는 간혹 다른 사람들이 올린 글을 눈으로만 보는 것이 내가 디지털을 활용하는 방법이었다. 그런데 이제 그 이상의 것을 알게 된 것일까? 이 디지털 노마드라는 새로운 개념이 나의 디지털 세계를 넓혀줄 수 있을까? 궁금증이 생겨난다.

내가 왜 이렇게 공부에 몰입하고 있는 걸까? 이런 생각이 들 정도로, 나는 요즘 나의 시간을 공부에 투자하고 있다. 사실, 이렇게 열심히 공부한 적이 있었나 싶을 정도로 매일 아침을 공부에 헌신하고 있다. 그저 평범한 일상을 살아가던 나였는데, 어느 순간부터인가 내 일상은 공부로 가득 찼다.

사실, 나는 책 읽는 것을 그다지 즐기지 않았다. 그런데 코로나가 세계를 뒤흔든 이후, 나의 생활 패턴은 크게 변화하게 되었다. 그중에서도 가장 큰 변화는 아마도 매일 아침 성경을 필사하게 된 것일 것이다. 이제는 아침 첫 시간을 성경 필사에 투자하며 하루를 시작한다는 것이 나의 새로운 일상이 되었다. 나는 따뜻한 물 한 잔을 마시며, 기도하는 마음으로 조용한 아침의 시작을 성경 필사와 함께 맞이하고 있다.

또한, 디지털 시대에 살고 있는 우리는 대부분의 정보를 디지털로 접하게 되었다. 이런 환경 속에서 나는 디지털 노마드를 꿈꾸게 되었다. 디지털 노마드, 이는 디지털 기기를 이용하여 어디서든 일할 수 있는 생활 스타일을 의미한다. 그리고 이런 생활을 통해 나는 퇴직 후에는 온라인 건물주가 되어야겠다고 생각하게 되었다. 시간과 공간의 자유로움과 경제적 자유로움이 동반한다면 그것이야말로 모든 인간의 욕망이자 로망이 아닌가? 그러므로 나는 매일 노트북과 씨름하며, 새로운 정보를 찾아내고, 새로운 지식을 습득하려고 노력하고 있다. 이 모든 것이 나의 새로운 일상이 되었고, 나는 이를 즐기며 하루하루를 새로운 활주로 달리듯 한다.

나는 컴퓨터 기능에 대해 알지 못하는 것이 너무 많다. 그러나 그중에서도 특히 타이핑 방식에 대한 이해를 필요로 하는데, 이를 대부분 사람이 '독수리 타법'이라고 부른다. 나는 아날로그 시대를 살아온 사람으로서, 디지털 기술에 대해 이해하는 것이 어렵게 느껴진다. 컴퓨터 기능들은 복잡하고 난해하게 느껴지며, 이를 배우는 과정은 그 어느 것보다도 어렵다. 자녀들이 어릴 적 학부모 교육으로 배워 본 후로 컴퓨터 교육을 제대로 해보지 않았다. 자녀들이 성장하면서 나의 삶도 그들과 함께 바뀌고 있었다.

그런데도, 나는 무료 강의를 통해 이를 학습하려고 노력하고 있다. 인터넷을 통해 여러 강의를 찾아보며, 이곳저곳을 뒤져가며 적절한 강의를 찾아 듣는다. 이 과정은 쉽지 않다. 어떤 날은 새벽이 되도록 강의를 듣고, 이해하려 노력한다. 때로는 이해를 위해 머리를 쥐어짜야 하는 날도 있다. 그럴 때마다 머리가 어지럽고 과부하가 일어난 듯한 느낌이 들지만, 나는 계속해서 학습을 이어가고 있다.

그 이유는 매우 명확하다. 그것은 바로 나의 미래를 위해서이다. 나는 이 모든 공부를 통해 노후를 준비하고 있다. 나는 대책 없이 살아온 삶을 뒤로하고, 새로운 삶을 준비하고 있다. 무엇보다도, 나는 나의 자녀들에게 부담이 되지 않기를 원한다. 그들에게 내 삶이 무거운 짐으로 남아서는 안 된다는 것을 깊이 이해하고 있다.

누군가가 말했던 말이 떠오른다. "우리 세대는 효도하는 마지막 세대요, 버림받는 첫 세대"라고. 시간이 흘러 지금의 시점에서 그 말이 얼마나 진실인지 깨닫게 되었다. 그 말이 내 코앞에 와 닿는 순간, 나의 노후 준비는 더욱 절실하게 느껴진다. 이제는 내가 직면한 현실에 대해 더 이상 미룰 수 없다는 사실을 알게 되었다. 나의 노후를 위한 준비는 절실하게 필요한 일이며, 그것은 나의 삶을 위한 가장 중요 한 과제 중 하나라는 사실을 느끼게 된다.

어느 날, 딸이 전화를 걸어왔다.

"엄마, 우리 빚이 있어?"

"얼마나 있어?"

난 솔직히 사실대로 말했다. 남편이 결혼 전에 진 빚에 대해서 말이다.

"그럼, 엄마의 노후 준비는 되어 있어?" 딸이 물었다.

나는 자신 없게 "지금 준비 중이니, 걱정하지 마. 나는 너희들에게 짐이 되고 싶지 않아."라고 대답하며 괜한 설움이 복받치며 눈물이 흘렀다.

그 후로 나는 더 열심히 블로그를 쓰며 배웠다. 매일 거울을 보며 자신에게 말했다. '나는 반드시 할 수 있다. 왜냐하면 할 때까지 계속할 테니까.' 이 말은 끈기 없이 시작만 하는 나에게 주문을 거는 말이었다. 출퇴근길에 자기 체면을 걸고 운전하면서 큰 소리로 외쳤다. '나는 할 수 있다!' 불확실한 나의 노후 때문에 불안감이 몰려올 때마다 외쳤다. '나는 할 수 있다! 그리고 해야만 한다!'

습관을 바꿔라

Build
Your BRAND

많은 사람이 책을 읽는 것을 좋아하지 않는다. 그러나 책 읽기는 지식을 얻고, 자신의 사고방식을 확장하는 데 매우 중요한 방법이다. 나 자신도 사실 책 읽기를 그다지 좋아하지 않았다. 그래서 나는 나만의 방법을 찾아내기로 했다.

매일 아침에 잠에서 깨 난 후, 그리고 잠들기 직전의 5분 동안 '백만장자 메신저'라는 책을 읽기 시작했다. 이렇게 하면서, 나는 책 읽는 것에 대한 자기 생각을 천천히 바꿀 수 있었다.

많은 사람이 책을 읽는 것을 좋아하지 않는다. 그러나 책 읽기는 지식을 얻고, 자신의 사고방식을 확장하는 데 매우 중요한 방법이다. 나 자신도 사실 책 읽기를 그다지 좋아하지 않았다. 그래서 나는 나만의 방법을 찾아내기로 했다.

매일 아침에 잠에서 깨 난 후, 그리고 잠들기 직전의 5분 동안 '백만장자 메신저'라는 책을 읽기 시작했다. 이렇게 하면서, 나는 책 읽는 것에 대한 자기 생각을 천천히 바꿀 수 있었다.

그러다 어떤 날은 자신을 잃어 입 따로 머리 따로 움직일 때, 마음 한구석에는 항상 '언제 할래?'라는 의문의 질문이 불쑥불쑥 올라온다. 이 질문은 예상치 못한 순간에 나타나기 마련이다. 그것은 마치 마음의 한구석에서 끊임없이 울리는 알람처럼, 자신의 정체성과 욕망, 그리고 궁극적인 목표에 대해 도전하고 문제를 제기한다. 그럴 때 나는 자극제가 필요했다. 나에게 있어서 자극제라는 것은 동기부여가 되는 그 어떤 멘토의 입담 좋은 목소리이다.

마음속에는 그런 두 가지 마음이 공존하고 있고, 그 둘은 서로 꿈틀거리며 싸운다. 한 마음은 안정과 편안함을 찾으려 하고, 다른 마음은 도전과 변화를 원한다. 이 두 마음 사이의 긴장감과 대립은 자신이 누구인지, 자신이 무엇을 원하는지를 명확하게 이해하도록 돕는다.

그러다가 어느 날, '이게 될까?'라는 느닷없는 생각이 들 때, 그럴 때마다 자신을 향한 마인드 컨트롤을 해 나간다. 이는 마음의 심연에서 올라오는 불확실성과 두려움에 대처하는 방법이다. 이런 생각들은 자기 능력을 의심하게 만들고, 그것이 자기 행동과 선택에 부정적인 영향을 미치는 것을 막기 위해, 자신을 마인드 컨트롤하는 것이다.

이 과정은 마치 자신을 다시 발견하고, 그 발견을 통해 자신을 더 잘 이해하는 것 같다. 이러한 과정은 자기 능력과 잠재력, 그리고 궁극적인 목표를 명확하게 인식하고 이해하는 데 도움이 된다. 이는 자신에 대한 진실을 찾아내고, 그것을 바탕으로 자신의 삶을 개선하고 발전시키는 데 중요한 첫걸음이다.

거울 앞에서 자신을 보며 내 귀가 들리게 말한다. "이름을 부르며 넌 할 수 있어!"라고 자신에게 말한다. 이 말은 자신에게 끊임없이 반복되는 격려의 말로, 자기 능력을 믿고, 그 능력을 최대한 발휘할 수 있도록 돕는다. 이 말을 반복하면서 마음이 완전히 안정될 때까지 이를 반복한다.

나는 때때로 스스로를 '프로페셔널 스튜던트'라고 불러야 하지 않을까 생각하곤 한다. 학문에 몇 개월을 투자하고 나면, 주변 사람들은 나에게 내 지식을 다른 사람들에게 전달하도록 권유하곤 한다. 이런 제안에 대해 나는 항상 조심스럽고 소심한 태도를 보인다. 왜냐하면 나는 본질적으로 매우 소심한 A형의 소유자이기 때문이다. 학창 시절, 나의 친구들 사이에서는 나의 완벽주의 성향 때문에 나를 완벽주의자라고 부르곤 했다. 그런 성격이 있음에도 불구하고, 나는 주변 환경에 의해 크게 영향을 받아 세월을 보내왔다. 결국, 결혼 후 지난 30년간의 생활 환경이 나를 지금의 위치에 이르게 했다.

비록 이 사업은 1인 사업이지만, 혼자서 수행하기는 어려운 것 같다. 이는 독립적으로 진행되는 사업이지만, 그 영역은 나 혼자서는 감당하기 힘들 정도로 광대하다. 선두자들이 이미 걸어가고 있는 길을 따라가며, 중요한 것은 꾸준히 노력하고 포기하지 않는 것이다.

물론, 이 과정에서 멘토의 도움이 필수적이다. 그들의 지혜와 경험은 나에게 큰 도움이 될 것이다. 그러나, 멘토를 선택하는 것은 매우 중요한 일이다. 그들이 나와 잘 맞는지, 그들의 가르침이 나에게 도움이 될 수 있는지 고민해야 한다.

요즘 시대는 변화가 빠르다. 특히 디지털 시대에는 변화의 속도가 물 흐르듯 빠르다. 새로운 기술이나 아이디어를 익히는 것이 중요하다. 하나를 익히면, 그다음에는 또 다른 새로운 것이 기다리고 있다.

또, 요즘은 1인 미디어가 유행이다. 이렇게 변화하는 흐름을 따라가려고 하면 참새가 황새걸음을 하는 듯하다. 그런데도, 나는 조금씩, 그리고 차근차근 시대의 흐름에 맞춰 나가고 있다.

그러는 동안, 매일 나는 새로운 나를 발견하며, 자신에 대해 놀랄 때가 있다. 그것은 나에 대한 새로운 이해와 인식을 의미하며, 이는 나에게 큰 도움이 된다. 이런 과정들은 나 자신을 더 잘 이해하게 해주며, 나의 능력을 향상하는 데 큰 역할을 한다.

백만장자 메신저는 이렇게 말했습니다. "남의 것을 훼손하지 말고, 내 것과 결합하여 새로운 것을 창조하라."

자기 계발서를 읽으며 습관을 바꾸는 것에 도전한다.
오랜 세월 동안 자유로운 영혼으로 살아온 탓에, 이것도 쉽지 않다.
그래서 나는 명확한 목표를 설정하고 변화를 이루기 위해서 실현이 가능한 작은 것부터 시작해 나가기로 작정했다. 습관의 바꾸기 위해서는 많은 시간이 필요하다. 사람의 성향과 형편에 따라 다를 순 있지만 습관을 바꾸기란 정말 어려운 것임이 분명한 것 같다.

많은 선두자가 말한다.
"목표를 설정하고, 작은 것부터 매일 조금씩 실행하라."
"매일 기록을 통해 동기부여하고 개선하라."
"어떻게 할 것인지 구체적으로 계획하고, 매일 반복하라."
"목표를 공유하고 동기부여를 통해 지속성을 높이라."
"긍정적인 말을 하고, 자신을 칭찬하라."

매일 실천하기로 하고, 도움이 되는 글을 쪽지로 책상에 붙여놓고, 그것을 나의 말로 바꾸어 가고 있다. 시골에서 살면서 열등감과 자존감이 낮아져서 힘들 때, 말부터 바꾸는 연습을 한다. 긍정적인 생각과 긍정적인 단어, 말투와 말솜씨를 바꾸려고 노력한다. 그러다 보니 언젠가부터 나는 부정의 아이콘이었나 싶은 생각이 든다.

그리고
"글을 읽으면 공감하게 되고, 다른 사람을 이해하게 된다"라고 한다.
오늘도 나를 찾고, 나를 발전시키기 위한 책을 읽는다.
나를 찾을 때까지 읽어야겠지만, 책은 왜 이렇게 읽기 싫은지 모르겠다.

오늘도 나에게 한마디!!
"나는 할 수 있다."

콘텐츠를 만들어라

Build
Your BRAND

나는 특별히 뛰어난 엔터테인먼트 재능이 없지만, 그럼에도 불구하고 특정 분야에서는 한두 번 보고 듣기만 해도 실행할 수 있다고 자부한다. 한동안 나를 알리기 위한 작업으로 캔바를 이용해 카드뉴스를 만들고, 각 방에서 아침 인사를 하기 시작했다. 할 수 있는 것이 그것뿐이었지만, 그것이 재미있었다. 나는 내가 잘하고 싶은 것을 할 때 엔도르핀이 나오는 것을 느낀다.

수익화할 방법을 찾아야겠다고 생각하는 중에 다른 사람의 강의를 보게 되었고, 그때까지 자신감을 느끼고 있던 나는 조금 자신감을 잃어버렸다. 그래서 나는 자신에게 이렇게 말했다. "넌 구체적으로 배우지 않았는데, 이 정도면 괜찮지 않아?"라는 말로 나를 격려하고 칭찬했다. 그리고 새로운 방법을 찾아 몇 시간을 실행해 보았다.

흐름이 바뀌었다. 유튜브 수익화, 틱톡, 인스타그램이 활발해지는 가운데, 나는 컴퓨터의 기능을 더 잘 알고 싶어서 끝없는 도전에 다시 한 발 내디뎠다. 그럴 때마다 더 열심히 노력하였고, 어떤 날에는 자정이 넘어가서 새벽이 될 때까지도 계속 진행했다. 나는 콘텐츠가 없는 것이 나의 콘텐츠가 되어가고 있었다.

방을 열어두었지만, 사람들을 유입시키기가 정말 어렵다고 느꼈다. 다른 사람들은 쉽게 할 수 있는데, 나는 왜 못할까? 포기하고 싶었지만, 불확실한 미래를 앞둔 나는 그렇게 쉽게 포기할 수 없었다. 지금까지 투자한 것들이 나를 멈추게 했다. 돈보다 더 아까운 것은 그동안 투자한 시간이었다. 퇴근 후에 할 일, 눈을 뜨자마자 하는 일은 컴퓨터 앞에 앉는 것이었다.

'잘한다'는 기준이 무엇일까? 남보다 잘하는 것일까? 그렇지 않다. 나는 나만의 틀을 만들어 가고 있었다. 다른 사람보다 잘해야 한다는 강박과 작은 자존심이 나를 계속해서 부르고 있었다.

나만의 콘텐츠를 만들기 위해 다양한 플랫폼을 탐색하며 초보자들과 공유할 수 있는 스킬과 경험을 찾아보았다. 인스타그램과 같은 소셜 미디어를 통해 할 수 있는 것, 온라인 커뮤니티에 참여하면서 콘텐츠를 만들어야겠다고 생각했다.

AI를 통해 질문하고, 다양한 방법으로 끊임없이 도전했다. 무료 강의와 유료 강의를 통해 배우고, 멘토의 가르침에 따라 배운 것을 반복하며 나만의 콘텐츠를 찾아보았다.

경험과 노하우가 돈이 되는 시대이다.

백만장자 메신저는 "누구든지 자신만의 콘텐츠가 있다"고 말한다. "우연히 습득한 것도 나만의 전문 지식"이 될 수 있다고 말한다.

나만의 콘텐츠를 찾아, 어떤 기술을 어떤 대상에게 어떻게 전달할 것인지 명확한 목표를 정해야 한다.

키네 마스터로 영상 만들기, 캔바로 카드 뉴스 만들기, 블로그 등 무수히 많은 콘텐츠가 있지만, 나만의 콘텐츠를 찾지 못하고 지식의 허영만 가득하다는 생각이 들 때 글쓰기를 시작했다. 나는 퇴직을 준비하는 사람들에게 자신이 가장 좋아하고 자신 있게 할 수 있는 한 가지를 깊게 파고들라고 조언하고 싶다. 그리고 목표를 정했다면 끈기와 열정으로 포기하지 않으면 성공하리라 믿는다.

이 영 미
생활작가, 멘토
dra001@gmail.com

대기업 20년 이상 직장생활 경력과 40여 개국을 다닌 여행
노하우를 글쓰기를 통해 나누고 있습니다. 여성 커리어
발전을 목적으로 하는 온라인 소모임 운영에 참여하여 조직
생활에 지친 이를 다독이고 자기계발을 돕고 있습니다.

" 여행을 떠날 각오가 되어 있는 사람만이
자기를 묶고 있는 속박에서 벗어날 수 있다 "

〈헤르만 헤세〉

포스트코로나,
해외 자유여행을 가자!
길찾기부터 항공권 검색까지

왜 자유여행인가?

Build
Your BRAND

손꼽아 보니 벌써 40개국을 밟았다. 비행기 환승 시간을 보냈던 낯선 공항은 제외했음에도. 다양한 경험과 시행착오를 거쳐 이제는 국내든 해외든 스마트폰 하나만 있으면 여행을 떠날 수 있다. 갈 곳을 정하고 단 몇 분이면 고속버스를 예약하듯 비행기를 예약하고 집을 나선다. 그러나 처음부터 그랬던 것은 아니다.

첫 해외여행의 기억

나의 첫 직장은 삼성전자 반도체연구소였다. 신제품 개발을 위해 연구소도 24시간 365일 가동했기 때문에 관련 부서는 3교대 근무를 하였다. 입사 후 두 번째 맞는 명절이었던가? 그 당시 명절 당직 1순위는 미혼이었다. 명절을 쇠러 지방을 가는 기혼자가 많았기 때문이다. 당시 부서에 둘 뿐이었던 미혼인 동기와 내가 명절 근무를 하게 되었고, 대휴에는 둘이 해외여행을 가라는 선배들의 부추김에 첫 해외여행을 가게 되었다. 선배들의 추천을 빙자한 강요에 못 이겨 선택한 여행지는 당시 신혼여행지 No.1 태국의 푸켓이었다. (대휴란 명절 등 공휴일에 일을 하면 다른 날에 동일한 일자만큼 쉬는 제도이다) 섬은 작았고 보통 관광객들이 패키지여행으로 방문하는 곳이었다. 버스들이 즐비한 주요 관광지마다 손님 두 명을 데리고 온 우리의 가이드는 남는 시간을 채워야 했다. 이해가 가는 상황이긴 하였으나, 우리에게 숙소에 가서 두세 시간 쉬다 오라고 했을 때는 본전 생각이 날 수밖에 없었다.

마지막 패키지 해외여행

바쁜 직장인에게 패키지여행은 매력적인 상품이다. 목적지만 고르면 나머지는 여행사에서 다 해주기 때문이다. 준비할 것은 여권과 개인물품뿐. 환전도 문제없다. 달러가 주 통화가 아닌 나라를 갈 경우에도 미리 여행사에 한화로 지불하면 현금을 가져가지 않아도 되고, 해외에서 사용 가능한 신용카드 한 장이면 OK. 2000년대 중반 이후 매년 부모님과 해외여행을 하던 나에게 패키지여행은 너무 좋은 선택지였고, 여러 여행사 사이트를 돌며 쇼핑하듯 패키지여행 상품을 골랐다.

젊은 사람들에게 인기가 있었던 소셜커머스(쿠팡, 지마켓 등)에서 베트남 패키지여행을 예약하여 부모님과 비행기를 탄 적이 있다. 현지에 도착해 보니 45인승 버스에 우리 가족을 제외한 모두가 20대 커플들이었다. 일정이 정해져 있었으나 현지 가이드는 대다수인 커플 고객의 의견을 물어 일정표에 없던 추가 옵션관광을 진행했다. 이런 상황을 전혀 예상하지 못했던 우리는 가이드 없이 2~3시간을 보내야 했다. 로밍이나 유심도 준비하지 않았고, 갑자기 말도 통하지 않는 낯선 곳에서 한참을 걸어 찾은 카페는 신용카드를 받지 않았다. 현금 쓸 일이 없었던 상품이라 현지 통화를 준비하지 않았던 나는 가이드에게 현금을 빌릴 수밖에 없었고, 여행에서 돌아온 후 그에게 별도로 송금하였다. 다른 사람이 정해놓은 일정에 끌려다니고 싶지 않다는 기분은 시간이 지날수록 패키지여행을 회피하게 되었다.

내 여행은 내 맘대로

얼마 전 일본에 무작정 갔을 때였다. 시간이 허락했고 어디든 가고 싶었기에 첫날 잘 곳과 항공권만 사서 비행기에 몸을 실었다. 숙소에 짐을 풀고 앉아 있는데 아무 생각이 나지 않았다. 배가 고파서 근처 이자카야에 홀리듯 들어갔고 퇴근 후 직장인들의 시끌벅적함을 피해 구석에 앉아 지도앱을 열었다. 손님들이 거의 나가고 나자, 주인은 구석에 혼자 앉아 스마트폰만 쳐다보고 있는 나를 주시했고 우리는 눈이 마주쳤다. 서로 어색하게 웃다가 결국 내가 먼저 이실직고하게 되었다. 여행을 왔는데 내일부터 어디서 무엇을 할지 고민 중이라고. 주인은 여자 혼자 외국에 여행을 온 것도 놀라는 눈치였지만, 아무 계획이 없이 온 것에 더 놀랐다. 그러고는 본인의 스마트폰을 가져와서 나보다 열심히 주변의 갈 만한 곳을 찾아주기 시작했다. 또한 양배추 샐러드 한 접시를 서비스로 주며 즐거운 여행이 되라고 응원도 해주었다. 이자카야 주인이 알려 준 지명은 한 번도 들어본 적이 없는 곳이었다. 다음 날 그곳으로 가기 위해 지도앱을 열어 길찾기를 한 후 숙소를 나왔다.

지도만 잘 활용하면 여행은 자유롭다

Build
Your BRAND

　　표준국어대사전에서는 여행을 "일이나 유람을 목적으로 다른 고장이나 외국에 가는 일"이라고 정의한다. 여행이라고 하면 쉽게 외국을 떠올리지만, 가깝게는 버스, 지하철 등을 이용하여 이동하는 것도 여행이 된다. 자차, 대중교통, 도보 등 어떤 수단을 이용하든 제일 처음 하는 것은 무엇인가? 스마트폰 사용자라면 네이버맵이든 카카오맵이든 티맵이든 스마트폰의 지도앱을 켜는 것이다. 지도를 보면서 가고픈 곳의 위치를 확인하고 그곳까지 어떻게 갈 수 있는지 알아본 후 항공권 예약까지 진행해 보자.

　　네이버맵과 카카오맵 그리고 티맵은 우리나라 사람들에게 익숙하고 매우 편리하다. 그러나 이들은 국내에 한정된 검색 서비스를 제공한다. 미주 혹은 유럽을 검색하고 싶어도 지도에서 확인할 수 없다. 그렇다면 가고 싶은 해외 지역은 어떻게 검색하고 길 찾기를 해야 할까? 바로 구글맵을 사용하면 된다. 구글맵은 전 세계를 확인할 수 있고, 우리가 가고자 하는 장소까지의 교통편을 검색할 수도 있다. 한 번도 사용해 본 적이 없는 사람도 겁먹을 필요가 없다. 카카오맵이나 네이버맵 그리고 티맵을 한 번이라도 사용해 본 적이 있다면 구글맵을 사용하는 것 또한 다르지 않다.

구글맵 사용하기

구글맵은 PC와 스마트폰 모두 네이버나 다음포털에서 "구글맵"으로 검색하거나 인터넷 주소창에 "www.google.co.kr/maps"를 입력하면 접근할 수 있다. 스마트폰 전용 어플리케이션도 있어서 안드로이드폰이라면 구글플레이에서, 아이폰이라면 애플스토어에서 다운로드한다. 구글맵은 구글과 연동되어 있어서 계정을 만들면 이후 사용에 편리하다. 이전에 검색했던 이력이나 방문했던 곳 등 지도에 표기할 수도 있고, 좋고 나쁜 곳의 후기를 남겨 다른 이에게 도움을 줄 수도 있다. 이것은 네이버맵이나 카카오맵에서도 제공하는 기능이다. 그러나 구글 계정이 없다고 해서 지도활용의 기본 기능인 지명 검색 혹은 교통수단을 찾는 것이 불가능한 것은 아니므로 선택 사항이다.

구글맵을 다운로드 받았다면 맵을 열어 특정 장소를 찾아보자. 외국의 지명을 검색한다고 '영어를 못하는데 어쩌지?' 라고 겁부터 낼 필요는 없다. 구글은 한글을 지원해주므로 언어를 한글로 설정하면 모든 지명을 한글로 표기하여 보여주는데 한글 아래에 영어 및 그 나라 언어도 같이 보여준다. 현지에서 길을 물을 때도 구글맵을 보여주면 한글 아래에 있는 그 나라의 언어로 보이는 지명을 활용하여 소통할 수 있다. PC 버전과 모바일 버전의 화면이 달라 보일 수 있으나 메뉴는 동일하니 걱정할 필요는 없다.

원하는 여행지까지 어떻게 갈까?

예를 들어 한국인들에게 인기가 많은 관광지인 유니버설스튜디오 재팬을 간다고 가정해 보자.

첫 번째로 해야 할 것은 유니버설스튜디오 재팬이 어디에 위치하고 있는지 확인하는 것이다.

구글맵을 켜고 검색한다. 그림 1에서와 같이 유니버설스튜디오 재팬은 오사카시에 있는 것을 확인할 수 있다.

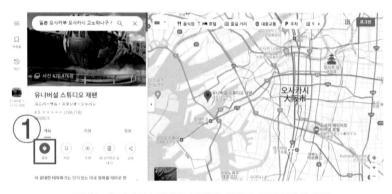

그림1. 유니버설스튜디오 재팬의 위치를 구글맵에서 확인

(출처:구글맵 2023. 12 기준)

두 번째로 한국에서 오사카시까지 가는 교통편을 알아보는 것이다. 일본은 바다 건너에 있으니 배나 비행기로 가는 것을 떠올릴

수 있다. 그리고 이 또한 구글맵에서 확인할 수 있다. 바로 경로(길찾기) 기능을 이용하는 것이다. 그림 1의 ① '경로'를 선택하여 길찾기를 해보자. 예를 들어 서울 강남역사거리에서 출발하는 것으로 해보겠다. 결과는 그림 2에서 확인할 수 있다. 항공편으로 갈 수 있고, 하루에 34~35편의 직항노선이 있다는 것을 확인하였다.

그림2. 강남역사거리에서 유니버설스튜디오 재팬까지 경로 검색 결과
(출처:구글맵, 2023. 12 기준)

지도앱에서 항공권 예매하기

세 번째로 이제 항공권 예매에 도전해 보자. 그림 2의 ② "SEL 출발 OSA 도착 항공편에 대한 Google 검색 결과 보기"를 주목하자(SEL과 OSA는 각각 서울의 영어표현 SEOUL과 오사카의 영어표현 OSAKA의 약자이다). 이 링크를 클릭하면 여러 항공편과 예약 사이트 연결 등 그림 3에서와 같이 검색 결과를 보여주는 페이지로

이동한다. 항공사, 출도착 공항, 운행 요일을 출발 시간순으로 확인할 수 있다. 선호하는 항공사, 선호하는 공항, 선호하는 시간대에 따라 선택할 수 있으며, 아래쪽에 있는 ③ 'Google 항공권 검색에서 찾기'를 누르면 좀 더 상세한 정보를 얻을 수 있다. 그림 4에서 이 결과를 볼 수 있다.

그림3. 서울에서 오사카까지 항공편 검색 결과
(출처:구글맵, 2023. 12 기준)

그림 4의 ④ '최적의 출발 항공권'은 앞서 그림 3에서 확인한 순서와 다를 수 있다. 이는 최저 요금을 우선으로 정렬이 되어 있기 때문이다. 오른쪽에 있는 ⑤'정렬' 메뉴에서 원하는 순으로 바꾸어 볼 수 있다. 또한 ⑥의 메뉴를 선택하면 날짜별로 가격을 확인할 수 있는데, 지난 몇 개월간 혹은 출발일과 도착일의 조합으로 실시간 가격을 확인할 수 있어서 만약 일정에 여유가 있다면 항공권이 더 저렴한 날로 일정을 조정할 수 있다. 혹시 비용은 여유가 있으나 날짜를 바꿀 수 없는 경우 등 나의 상황에 맞게 여행계획을 세우는 데 도움이 된다.

그림4. 그림 3의 ③ 'Google 항공권 검색에서 찾기' 페이지
(출처:구글맵, 2023. 12 기준)

항공권 예매 시에는 왕복 혹은 편도로 예매를 할 수 있다. 돌아오는 날이 확정되어 있다면 왕복항공권을 구매하는 것이 저렴할 수 있다. 돌아오는 날이 확정되어 있지 않거나, 출국 시의 도착 장소와 입국 시의 출발 장소가 달라지는 등 여러 사정으로 돌아오는 항공권을 다른 항공사를 이용할 경우에도 각각의 경우 항공편과 가격을 확인 할 수 있다.

여기서 같이 찾아본 일본은 가까운 거리이므로 검색 결과가 대부분 직항이다. 그러나 좀 더 먼 거리의 여행지를 가고자 한다면, 직항과 함께 경유 항공이 검색 결과에 나올 수 있다. 직항은 대부분이 국적기이며 경유하는 항공편은 외항사인 경우가 많다. 만약 이동시간을 줄이고 싶거나 언어나 문화가 익숙한 승무원의 서비스를 받을 수 있는 국적기를 이용하고 싶다면, 위의 대한항공 혹은 아시아나의 정보를 확인하고 예매를 진행하면 된다.

예산 혹은 마일리지 적립 등의 이유로 외항사 이용을 선호하는 경우 해당 외항사를 선택하면, 내가 선택한 항공편을 보여주고 '예약 옵션'에 항공사 홈페이지를 포함하여 여러 대행사를 통해 구매할 수 있는 옵션들을 보여준다. 오사카까지 가는 항공편을 일본항공사인 피치항공을 선택한 경우 그림 5에서와 같이 공식 홈페이지와 Expedia 혹은 Trip.com과 같은 대행사의 옵션도 같이 확인할 수 있다.

그림5. 외항사인 피치항공을 선택했을 때 예약 옵션 화면
(출처:구글맵, 2023년12월기준)

만약 선호하는 대행사가 있다면 그곳을 통하여 예매를 진행하면 된다. 대행사를 이용할 경우 항공사 공식 홈페이지보다 저렴한 가격을 앞세우고 있는 경우도 있다. 주의할 점은 정작 예약 과정에서 수수료가 발생하거나 수하물 혹은 기내식에 추가 비용을 내야 하는 경우가 있어 결과적으로 동등 혹은 더 비쌀 수 있다는 것이다. 항공사 공식 홈페이지를 통해 예약할 경우 항공편이 취소 혹은 연기되었을 때 등 예상치 못한 일이 발생했을 경우 책임소재가 명확하여 불이익을 최소화할 수 있다는 이점이 있다.

외국 항공사 홈페이지를 통하여 항공권 예매를 진행할 경우 가장 걱정하는 부분이 언어일 것이다. 앞서 선택한 피치항공의 공식 홈페이지를 방문해 보았다. 참고로 피치항공은 일본 국적의 전일본공수의 자회사이다. 그림 6에서 볼 수 있듯이 ⑦ 'language' 메뉴에서 한국어를 선택하면 모든 화면이 한국어로 표기되어 어려움 없이 예약을 진행할 수 있다. 비단 피치항공 뿐 아니라 전 세계 많은 항공사가 한국어 서비스를 제공하고 있으니 시작하기도 전부터 겁먹을 필요는 없다.

그림6. 외국계 항공사 홈페이지도 언어를 변경하면 편리하다
(출처:피치항공홈페이지, 2023. 12 기준)

오프라인 지도

구글맵의 가장 큰 장점은 오프라인 지도를 제공하는 것이다. 인터넷을 사용할 수 있을 때 필요한 지도를 다운받아두면 나중에 인터넷 연결이 없는 곳에서도 검색을 할 수 있다. 스마트폰의 위치기반 서비스를 이용할 경우 사용자의 위치만 제공하는데, 지도상에서 확

인하려면 지도데이터가 있어야 한다. 이 지도 데이터는 구글, 네이버 등의 어플리케이션에서 실시간으로 불러와서 제공하는 것인데, 선진국이라고 해도 우리나라만큼 인터넷이 잘 되는 곳은 드물다. 유심(e심) 또는 로밍을 준비해서 가도 그 지역의 인터넷 환경에 따라 잘 터지지 않을 수 있다.

이 기능은 해외여행에서 요긴하게 사용할 수 있다. 다만, 오프라인 지도를 다운받으려면 구글 계정이 있어야 하고 최초 한 번은 인터넷 연결이 있어야 한다.

구글 계정을 만들었다면 다음의 순서를 따라가면 된다. 우선 스마트폰에서 구글맵을 연 후 인터넷이 연결되어 있는지 확인하고 로그인한다. 이후 그림 7에서와 같이 프로필 사진을 선택하면 ⑧ '오프라인 지도'를 확인할 수 있다. '오프라인 지도'를 선택하면 두 번째 화면과 같이 보이는데, ⑨ '나만의 지도 선택'하면 세 번째와 같이 지도 화면이 보인다. 이 때 저장하고 싶은 장소를 검색한 후 화면 하단의 '다운로드'를 선택하면 된다. 다만, 이동 중의 편리를 위한 기능이다 보니 스마트폰과 SD 카드에만 저장이 가능하고 저장 위치를 변경하면 지도를 다시 다운받아야 한다.

인터넷 연결 속도가 느리거나 되지 않을 경우 다운로드 한 오프라인 지도를 사용할 때는 스마트폰에서 구글맵을 열어서 사용하면 된다. 전체 경로가 오프라인 지도에 포함되어 있다면 오프라인 지도로 위치 검색, 길 찾기 등 인터넷 연결이 원할할 때와 다름없이 사용할 수 있지만 포함되지 않은 경우 사용에 불편함이 있을 수 있다.

그림7. 오프라인맵 다운받기 (출처:구글맵, 2023. 12 기준)

다음엔 어디 갈 거예요?

Build
Your BRAND

휴일을 앞둔 저녁에 항공권을 예약하고 훌쩍 떠나는 여행이든, 일 년 전에 계획하는 여행이든 가장 먼저 하는 일은 가고 싶은 곳을 지도에서 찾아보는 것이다. 패키지여행을 접고 10년 이상 해외 자유여행을 하였으니, 나에게는 지도앱을 여는 것이 여행의 시작인 동시에 너무도 익숙한 일이 되었다. 예전에는 어디를 한 번 가려면 엄청나게 큰 책으로 된 지도를 펴고 작은 글씨를 돋보기로 찾아야 했다. 길을 잘 찾으려면 공간지각력 등 특별한 능력을 타고나야 하는 줄 알았으나, 요즘엔 기술이 발달하여 스마트폰 사용법만 안다면 누구든 그 혜택을 누릴 수 있다.

포스트 코로나, 다시 여행의 시대이다. '연금술사'로 유명한 브라질 소설가 파울로 코엘료는 '여행은 언제나 돈의 문제가 아니고 용기의 문제'라고 했다. 낯선 도시의 거리에서 처음 만난 사람들과 눈을 마주치고 싶은가, 따스한 햇살과 고운 모래가 가득한 해변에서 며칠이고 멋진 자연에 감탄하고 싶은가, 낮잠 자기 좋은 공원의 푸른 잔디에서 돗자리 깔고 누워 책을 읽고 싶은가? 당신을 움직이게 하는 것은 무엇인가? 유명 관광지의 인파 사이에서 인증 사진 찍고 다음 관광지로 바쁘게 움직이는, 남이 짜 놓은 일정을 따라가는 것이 아닌 나를 위한 맞춤 여행을 자유롭게 계획하여 떠나보자.

황 경 하
5분에 책 1권 읽기 송파집중력 향상센터 대표
hkh250@naver.com

뇌 교육사
작가, 여행작가, 강사로 활동
한국지식문화원 소속 출판지도사
저서
〈세상을 바꾸는 우리 1인 지식기업, 시대 당신도 주인공이
될 수 있다.〉〈여행 한 스푼 행복 한 그릇〉

" 한정된 시간 동안 더 많은 책을 읽고 싶다.
상상력과 창조력, 집중력을 더욱 키우고 싶다 "

뇌리에 박히는
속독법 비밀 치트기

우뇌를 활성화하고 속독으로 책을 본다

속독을 배우며 새로운 신세계를 경험하다

결혼해서 아이들을 키우면서, 10년 넘게 전업주부로 살았다. 전업주부로 살다 보니, 다시 취업하는 일이 힘들었다. 여러 곳에 이력서를 넣었지만, 전업주부를 취업시켜 주는 곳이 없었다. 처음 직장은, 아이들에게 독서, 토론 논술을 가르치는 교사로 일했다. 우리 아이들에게 독서교육은 잘할 수 있다고 생각했다. 아이들이 자랄 때, 독서의 중요성을 알게 되었다. 책을 열심히 읽어주었다. 다행히 작은 아들은 책을 좋아하는 아이로 자랐다. 초등학교, 중학교에서 독서를 많이 한 효과를 봤다. 영어학원만 다녀도, 학교에서 시험을 보면 항상 1등을 했다.

아이들을 가르치는 일이 할 일이 많다. 수업 시간에 필요한 책도 꼼꼼하게 읽고 수업 준비를 잘해야 한다. 학생들과 토론하고, 글을 잘 쓸 수 있게 준비해야 했다. 부모님과 상담도 한다. 처음에는 힘들지만 재미있었다. 문제는 불규칙한 식사와 늦은 퇴근으로 건강에 문제가 생겼다. 내 몸이 아프니까, 하는 일이 재미도 없고 점점 지쳐갔다.

내가 지쳐갈 때, 앞으로 계속 이렇게 살 수 없다고 생각했다. 이제부터 책을 읽어야겠다고 마음먹었다. 책 한 권 읽으려고 시도했는데, 글씨가 흐리게 보이고 책을 읽을 수 없었다. 눈 시력이 많이 나빠졌다. 수업 시간에 필요한 책만 겨우 읽으며 살았다. 책을 읽고 싶은 마음이 들었다. 나를 성장시키고 변화를 주는 책을 읽고 싶다. 어떻게 하면 책을 빨리 볼 수 있을까? 생각했다. 우연한 기회에 속독으로 책을 볼 수 있다는 것을 알게 되었다. 그동안 자기계발서도 읽지 않아서 처음에는 믿을 수 없었다.

한참을 지켜보다 서서히 속독을 배우게 되었다. 처음 해보는 훈련이라 눈도 아프고 머리도 아팠다. 몇 번 훈련받고 나니까, 책이 조금씩 잘 보이기 시작했다. 매일 열심히 트레이닝했다. 신기했다.

속독을 배우면서 눈 시력도 좋아지고, 책을 빨리 읽을 수 있게 되었다. 배우고 실천하는 내용을 100일 동안 블로그에 매일 올렸다. 나 자신과의 약속이라고 생각했다.

매일 트레이닝을 열심히 하니까 2달이 넘어가면서 책 읽기에 속도가 났다. 책 읽는데 이제는 재미있고, 지루지 않았다. 블로그에 기록하면서 내가 책을 보는 속도가 점점 빨라지고, 이해도 가능해졌다.

속독을 배우며, 대표가 본사에서 같이 일하자고 제안했다. 아이들을 가르치면서 승진의 기회도 있었는데, 그만두게 되었다. 속독을 가르쳐 준 대표와 일하게 되었다. 책을 보면서 많은 변화가 찾아왔다. 신임 센터장들 교육하는 교육팀장으로 3년간 일했다. 전국에 센터가 생기면, 내가 가서 속독에 필요한 모든 교육을 했다. 센터장들이 자리를 잡고, 스스로 수업할 수 있도록 기초부터 하나하나 모두 교육했다.

뇌 과학 기반 뇌 훈련을 통해 속독을 배웠다, 건강을 되찾을 수 있었다. 일상생활 속에서 집중력이 많이 올라갔다. 우뇌 개발 속독법은 꼭 책만 빨리 읽는 것이 목적이 아니다. 집중해서 처리해야 할 서류 업무의 시간 단위가 짧아지면, 그만큼 다른 업무에 효율적으로 대처할 수 있다. 내가 속독을 배운 이유다. 지금은 배운 지식과 경험을 살려 5분에 책 1권 송파집중력 향상센터 대표로 일하고 있다.

좌뇌와 우뇌가 하는 일이 다르다

우뇌 개발 5분에 책 1권 읽기 속독을 배우면서, 좌뇌와 우뇌가 하는 일이 다르다는 것을 알게 되었다. 공부하면서 뇌 교육사 자격증을 취득했다. 뇌에 대해서 알고 싶었다.

속독으로 책을 보는데 갑자기 좌뇌와 우뇌 이야기는 왜 할까?
우뇌는 무한 잠재력을 가지고 있다. 우리가 살면서 우뇌를 얼마나 사용하며 살고 있을까?

성공학책을 보면, 자신이 가지고 있는 잠재력을 깨워라. 라는 말이 있다. 이 말은 우뇌를 활성화하고, 잘 활용하라는 말과 같다. 좌뇌는 의식의 뇌이고, 우뇌는 무의식의 뇌라고 말한다. 하지만, 좌뇌와 우뇌는 서로 연결되어 있어, 체계로 활동하기 때문에 뇌는 좌뇌와 우뇌를 전체적으로 계발해야 한다.

좌뇌의 기능

언어적이다 : 사람의 이름을 잘 기억한다. 대화할 때 단어를 더 많이 사용한다. 언어로 된 자료를 잘 기억한다. 언어적 학습에 익숙하다.

논리적이다 : 체계적 방법으로 문제 해결을 한다. 분석적으로 생각하고 추론한다. 논리적 추리 수학 학습에 유리하다.

이성적이다 : 감정을 억제한다. 기존의 것을 개선한다. 사실적이고, 현실적인 것을 좋아한다.

우뇌의 기능

시각적이다 : 얼굴 기억을 잘한다. 대화할 때 신체 언어를 사용한다. 공간 그림을 잘 기억한다. 경험, 활동적 학습에 익숙하다.

직관적이다 : 직관적 판단으로 문제를 해결한다. 유머 있게 생각, 행동한다. 빠른 상황 파악 대처에 유리하다.

감성적이다 : 감정을 발산한다. 새로운 사실을 발견한다. 환상적, 상상적인 것을 좋아한다.

창의적이다 : 창의적인 인재는 우뇌를 사용한다. 우뇌를 사용하면 통찰력을 기를 수 있고 나무를 보는 것이 아니라, 넓은 숲을 보는 시각을 가질 수 있다. 우뇌는 좌뇌보다 정보를 받아들이는 용량이 크다.

책을 읽을 때 좌뇌와 우뇌는 중요한 차이점이 있다. 좌뇌는 글자를 '소리' 음성으로 기억하고, 우뇌는 글자를 '이미지, 그림으로 기억한다.

매일 운동을 하며 건강하듯, 독서를 통해 뇌를 단련시킬 수 있다.

"책을 잘 읽는 독서법이 있듯이 뇌도 잘 활용하는 방법이 있다. 뇌 사용법을 알고 활용하면 뇌를 더욱 활성화하여 건강한 뇌를 가질 수 있다. 특히 시험공부를 하느라 밤을 꼴딱 새우는 학생이 많은데 뇌 과학자로서는 그들의 헛된 노력이 너무나 안타까울 따름이다."
〈12세 전에 완성하는 뇌 과학 독서법〉 -카이스트 교수 김대식-

뇌 교육 전문가가 말하는 뇌를 활용하는 방법 중, 최고의 방법은 독서와 운동이다. 이런 활동은 뇌를 자극하여 활성화하기 때문에, 생각이 깊고 창의력이 뛰어난 뇌로 성장하게 만든다. 책 읽는다는 것은 단순히 언어발달을 위한 것만은 아니다. 독서는 아이의 전반적인 뇌 발달에 큰 영향을 미치게 된다.

뇌 과학 기반 뉴로피드백 뇌 훈련을 통한 집중력 향상 효과

뉴로피드백은 신경망을 활성화하는 첨단 뇌 훈련 기술이다. 뉴로피드백은 자신의 뇌파 정보를 직접 눈으로 보면서 뇌 발달에 필요한 뇌파를 스스로 조절하여 뇌신경 네트워크를 발달시키는 최첨단 뇌 훈련 기술이다.

뇌를 알아야 나를 안다. 뇌를 알아야 자신의 건강과 능력을 정확히 알 수 있다. 학생들의 학습 능력과 업무능력 등 활동 능력의 근본적인 배경은 뇌에 달려 있다. 우리가 공부를 잘하고 못하는 이유는, 주변 환경이나 유전자보다 뇌에서 쉽게 발견할 수 있다. 모든 사람의 뇌는 서로 다르다. 사람의 모든 것을 관장하는 것은 뇌를 통해서 이루어진다. 학습도 뇌에서 이루어지며 마음도 뇌에서 만들어지고, 숨을 쉬고 심장이 뛰는 것도 뇌에서 이루어진다.

　학생들이 센터에 맨 처음 오면, 차분히 앉아서 제일 먼저 뇌 과학 기반 뉴로피드백 훈련을 먼저 한다. 뉴로피드백은 뇌를 활성화해 주는 역할을 한다. 호흡훈련과, 명상 훈련하며, 몸과 마음을 이완시켜 준다. 집중을 못 해서 학습이 어려운 학생들이 있다. 뇌기능을 측정해보면, 그 답을 알 수 있다. 사람이 일상생활을 할 때 기초율동 지수가 있다. 기초율동 지수를 확인해 보면, 자신의 연령대 기준보다 점수가 낮게 나온다. 기초율동은 자신이 가지고 있는 표준 연령대 점수가 있는데, 표준 점수가 안 나오면 기본적으로 학습이 느린 경우가 많다.

　학습이 느린 이유는 주의력, 집중력, 기억력지수가 낮게 나오기 때문이다. 뇌파를 확인해 보면 심한 스트레스가 있고, 학습 능력, 면역기능 점수가 낮게 나온다. 학습 능력을 올려주기 위해서는, 먼저 뇌 훈련하고, 집중력 기억력, 주의력을 올려야 스트레스가 줄어든다. 기본적인 문제를 해결해야 학습 능력이 올라간다.

시간은 적게 투자하고 효율적으로 공부하는 독서법

우뇌 속독을 배우며 우뇌에 관련된 책과 뇌 교육에 관련된 책, 집중력에 관련된 책들을 읽기 시작했다. 학생들은 공부할 때, 어른들은 일할 때, 집중력이 떨어지면 많은 시간을 투자하고 열심히 해도 효율성이 떨어진다. 우뇌 개발 속독법을 배우면 효율적으로 공부할 수 있다.

책을 손에 들고 내용이 이해될 때까지 오래 책상에 앉아 있다고 해서 효율적인 공부가 되는 것은 아니다. 문제는 얼마만큼 집중해서 빠른 시간에 많은 내용을 효과적으로 이해하고, 기억해서 실전에 사용할 수 있느냐다. 속독은 각 단계를 철저히 집중해서 훈련하면, 현재보다 몇 배 짧은 시간에 책을 읽고, 확실하게 내 것을 만들 수 있다.

책을 볼 때 이미지로 보는 연습하고
통으로 읽기

학생들이 이미지로 책 보는 훈련할 때, 그림책을 이용한다. 어른들은 아이들이 한글만 읽을 줄 알면, 글자가 많은 책을 읽힌다. 그림책을 이용해 이미지로 보는 연습은 어른들에게도 많은 도움을 준다.

책볼 때 이미지로 보는 연습이 필요하다. 책볼 때 이미지화 연습하면, 책을 더 빨리 볼 수 있다. 좌뇌 중심의 읽기에서 우뇌 중심의 읽기 활동으로 바뀌게 된다. 책을 이미지로 보기 위해 훈련이 필요하다. 책을 한 글자씩 읽는 것이 아니라 통으로 볼 수 있다.

"포토 리딩(photo reading) 이라는 미국에서 개발된 속독법을 배웠다. 포토 리딩은 단순히 속독이라기보다, 문서를 사진처럼 읽고 이해함으로써 정보처리 속도 자체를 비약적으로 상승시키는 획기적인 방법이다. 나는 우연히 미국 출장 중에 잡지 기사에서 이 방법을 처음 알게 되었다."

〈비상식적 성공 법칙〉 -간다 마사노리-

그림책 보며 훈련할 때 효과

수업할 때 이미지로 책을 보기 위해서, 그림책을 활용하는 수업을 한다. 센터에는 많은 그림책을 보유하고 있다. 초등학교에 입학 정도면 어느 정도 한글을 깨친다. 그때부터 한글로 된 책을 더 많이 읽게 한다. 어른들이 우뇌로 성장할 수 있는 아이들을 좌뇌의 틀에 가두기 시작한다. 아이들은 무한한 잠재력을 가지고 있다. 하지만, 좌뇌 중심의 주입식 교육을 받기 시작하면서 잠재력을 펼칠 기회를 잃게 된다.

그림책 읽기는 아이들에게 자신의 감정을 표현하는 도구가 된다. 그림책 읽기는 아이들에게 상상력을 자극하고, 창의적인 생각을 가질 수 있도록 한다. 색상, 그림, 글 등 다양한 요소를 활용하여 아이들은 창의적인 능력을 발전시킬 수 있다. 아이들뿐만 아니라 성인들도 그림책의 이미지를 보고 추론해서 책의 내용을 파악할 수 있다.

학습이 어렵고 느린 고3 학생이 등록했다. 다른 고3은 수능 준비 하는데 바쁘지만, 이 학생은 집중력 훈련과 그림책으로 수업한다. 처음에는 그림책 읽기도 힘들었다.

그림책 중에서 재미있는 책을 골라 같이 읽기 시작했다. 처음에는 작은 목소리로 자신 없이 읽었다. 시간이 지나면서 목소리가 점점 커지고, 자신감을 가지게 됐다. 나는 학생에게 질문하기 시작했다.

질문하고 답변하는 과정이 중요하다. 왜 이런 감정을 느꼈는지, 어떻게 대처했는지, 내가 주인공이라면 이런 상황에서 어떻게 할 것인지? 다양한 각도에서 질문했다. 질문은 누구에게나 생각하는 힘이 생긴다. 질문은 아이들 두뇌를 자극하는 역할을 한다.

이 학생은 여름방학에 매일 센터에 수업받으러 왔다. 수업을 오는 날이 아닌 날도 수업을 왔다. 이제는 책 읽기가 재미있다고 이야기해 준다. 어머니와 전화 상담하면 아이가 예전과 많이 달라졌다고 이야기해 주신다. 지금은 학생과 〈어린 왕자〉를 같이 읽었는데 책 읽기가 재미있다고 말한다. 학생이 〈어린 왕자〉에 대한 질문을 해도 자기 생각을 잘 이야기한다.

그림을 그리는 여자 성인이 등록했다. 처음에는 책 읽기도 힘들고, 집중력이 떨어져서 일상생활이 힘들다고 상담했다.

7개월 정도 수업받으면서 열심히 훈련했다. 7개월 정도 훈련하니까 책은 300쪽 정도 되는 책을 1시간에 읽고 이해하는 실력까지 늘었다. 하루 수업을 마치고 오늘의 소감을 쓴다. 소감에서 자신이 그림을 그릴 때, 그림책을 많이 본 게 도움이 되었다고 말한다. 예전에는 창의적인 생각이 떠오르지 않았는데, 그림책을 많이 보며 그림도 잘 그릴 수 있게 되었다. 다양한 색을 사용해서 그림을 더욱 풍성하게 그리게 되었다. 속독을 배웠을 뿐인데, 삶이 달라졌다.

우뇌는 종합적인 사고를 한다

속독법에서 '글자를 이미지로 본다'라는 표현은 글자를 단순한 음운이나 단어의 집합으로 보는 게 아니다. 시각적인 이미지로 인식하고 처리한다는 의미다. 이 방법은 속독을 효과적으로 수행하기 위해 사용되는 기술 중 하나다. 우뇌가 활성화되고 우뇌에 자극을 주면 우뇌가 깨어난다.

종합적인 사고를 하면, 학생이 제일 먼저 그 효과를 본다. 어느 날 4학년 학생이 영어학원을 다녀와서 인사를 하며, 큰 소리로 나를 부른다.

"선생님"

"왜?"

"오늘 영어학원에서 갑자기 영어 단어가 잘 외워지고, 단어 시험도 100점 받았어요."

라고, 이야기하며 좋아했다. 매일 영어 단어 외울 때 1개씩 틀려서 속상했다고 이야기했다. 속독을 배우면서 두뇌가 활발해지고, 집중력이 올라가서 학생이 공부가 쉬워진다.

이 학생은 처음 등록할 때, 공부에 재미를 못 느끼던 학생이었다. 두뇌 훈련하며 서서히 변해갔다. 얼굴 표정이 밝아지며, 말이 없던 학생이 이제는 학교에서 친구들과 있던 이야기를 나에게 하며 수다를 떨며 수업한다. 책 한 권 읽기 힘들어했다. 이제는 청소년이 읽어야 할 책을 읽으며 독후 활동도 열심히 하고 있다.

학생은 두뇌 활동이 활발해졌다. 책 읽기가 쉬워지고, 학교에서 공부하는 일이 쉬운 일이 됐다. 학교에서 선생님께서 20분 정도 독서 시간을 주는데, 예전보다 훨씬 빨리 읽고, 이제는 글쓰기까지 가능해졌다고 이야기한다. 반 친구들은 그 시간에 책 읽기도 힘들다고 이야기하며, 자신감을 보였다.

일반적으로 글을 읽을 때, 각각의 글자들을 하나씩 해석하고 그것들을 조합하여 단어와 문장으로 이해한다. 그러나 속독에서는 글자 자체를 이미지로 인식하여 빠르게 처리하는 방식이다. 책을 볼 때 한 글자씩 속 발음으로 읽으면 그만큼 늦게 읽게 된다.

글을 빨리 읽으려면 소리내어 읽는 것보다, 눈으로 봐야 한다. 속으로 읽으면 뇌의 판단 속도가 느려진다. 눈으로 보고, 뇌로 판단하고, 소리로 듣고 다시 전두엽에서 판단하기까지 시간이 오래 걸린다. 책을 볼 때 너무 천천히 읽기 때문에 잠이 오는 이유다. 글자를 보는 순간 낱말의 이미지를 생각하여 읽어야 한다. 뇌에서 즉각적인 반응으로 글의 내용을 파악하여야 속독이 가능해진다.

성인들이 책 읽기를 힘들어한다. 이유는 다양하지만, 집중력, 기억력이 떨어지기 때문에 책 한 권 읽기도 힘들다. 성인들 수업을 해보면, 속 발음으로 읽는 습관 때문에 속독을 어려워한다. 집중하여 내용의 흐름을 따라가 보면 전체의 흐름이 파악된다. 처음에는 이해도가 낮을 수 있다. 책을 빠르게 읽는 훈련이 되면 이해도까지 높아진다.

성인들은 책 한 권을 2시간에 읽을 수 있다면, 소원이 없겠다고 이야기한다. 책 한 권 1~2시간 안에 읽고 이해한다면 다양한 책을 읽을 수 있다. 처음 속독을 배울 때 1~2시간 읽게 되면서 책 읽는 속도가 붙었다. 이미지로 읽고 이해할 수 있어서 가능한 일이다.

50대 여자 성인이 수업하기 전에는 기억력 때문에, 계좌번호가 안 외워진다고 했다. 수업을 몇 달 배웠다. 계좌번호도 잘 외워지고 책글씨가 잘 보인다고 열심히 수업에 참여했다.

속독을 배울 때, 이미지로 책을 보는 훈련은 중요하다. 이미지로 읽는 것은 속도가 몇 배 빨라지게 되고 독서 능력이 향상된다. 속독을 원한다면 글자를 이미지로 보는 연습이 필요하다.

청각 대신 시각 강조 : 일반적인 독서 방식에서는 주로 청각에 의존하여 글자를 해석한다. 그러나 속독에서는 시각 감각에 집중함으로써, 빠른 정보처리와 인지능력이 가능하다. 한 글자씩 순차적으로 읽는 독서가 아니라, 한 줄을 통으로 보는 독서법이다.

단어의 형태와 구조 파악 : 속독법에서 중요한 요소 중 하나는 단어의 형태와 구조를 빠르게 파악하는 것이다. 빠르게 파악해야 몰입 집중 독서가 가능해진다.

예를 들어, 'apple'이라는 단어를 일반 독서 방식에서 읽으면 '에이-피-피-엘-이'라고 순차적으로 발음한다. 반면, 속독법에서 해당 단어를 이미지로 인식하면 사과의 모양, 색상 등과 관련된 시각적 정보가 떠오르게 된다. 사과하면 빨간 이미지가 먼저 떠오른다.

우리가 여행하면서 멋진 풍경을 글로 표현한다면 어렵지만, 사진으로 남기고 눈으로 보면 더 기억을 잘한다. 그리고 장기기억 속에 저장하고, 문제 해결을 해야 하는 상황에 판단할 수 있다.

부자들은 바쁜데도 매일 책을 읽을까?

세계적으로 유명한 부자들은 우리보다 훨씬 바쁜데도 매일 책을 읽는다. 비싼 시간을 쪼개가며 부자들은 책을 읽는다. 부를 일구고 지키고 불리는데, 꼭 책 읽어야 가능하다고 이야기한다. 세계적인 부자들은 모두 독서광이다.

워런 버핏은 *"최고의 투자는 자신에게 하는 투자이고 나 자신을 최고의 자산으로 만들어야 부자가 될 수 있다. 자신에게 하는 투자 중 최고는 책 읽기다."*라고 말한다. 책 읽을 시간이 없으면, 부자될 시간도 없다. 〈부자의 독서법〉

부자들은 책을 통해 정보 습득한다. '책 읽을 시간이 없으면, 부자 될 시간도 없다.'는 말이 와 닿는다. 부자들의 독서는 비즈니스, 경제, 자기계발 등 다양한 주제의 책을 읽고 전문적인 지식과 통찰력을 기른다. 부자들은 책을 통해 성공의 원리원칙을 배우며 실천했다.

독서는 아이디어와 창조성의 원천이다. 성공한 부자들은 여러 분야의 책에서 영감을 받아 창의적인 아이디어를 발굴하고 사업의 기회로 만든다. 책은 부동산, 투자, 창업 등에서 성공하기 위한 전략과 가치관을 배울 수 있는 소중한 자료가 되었다. 부자의 도전과 역경 이야기는, 긍정적인 마인드셋 형성에 큰 영감을 준다. 성공 스토리와 목표 설정 방법 등에서 긍정적 사고방식 및 태도를 배울 수 있다.

빌 게이츠가 미국 네브래스카 주립대를 방문했을 때 한 학생이 "한 가지 초능력을 얻을 수 있다면 어떤 것을 원하며, 그 이유는 무엇인가요?" 질문하자 빌 게이츠는 책을 아주 빨리 읽는 능력을 원했다. 빌 게이츠는 1년에 많은 책을 읽고 있지만, 책을 아주 빨리 더 많이 읽고 싶어 했다.

일론 머스크가 독서하는 주제와 도서의 종류는 매우 다양하다. 그의 지식 습득 방식은 넓고 깊은 범위를 포함한다. 과학, 기술, 엔지니어링, 경영, 인문학 등 다양한 분야에 걸쳐 있다.

성공학의 대가 브라이언 트레이시는 *"성인이 되어 할 수 있는 가장 가치 있는 일 가운데 하나는 속독을 배우는 것이다. 많은 사람이 한 권을 일주일 동안 읽는 내용을, 속독을 배우면 같은 내용을 2시간 정도에 읽을 수 있다."* 라고 말했다.

제프 베조스는 모험 정신이 강한 독서광이었다. 할아버지는 그를 공상과학 소설이 많은 도서관으로 데려갔고, 제프는 여름 내내 서가를 누비며 그곳에서 수백 권의 책을 읽었다. 제프의 아이디어 덕분에 아마존이 그토록 빠르게 성장했다.

책을 많이 읽은 만큼 자신의 독서 수준이 높아진다. 자신의 독서 수준만큼 책을 통해 더 많이 얻는다. 하지만, 책을 읽지 않고 그저 눈앞에 닥친 일만 열심히 하며 사는 사람은 사고력이 부족하다. 독서에도 부익부 빈익빈의 원리가 그대로 적용된다.

책 읽기는 요령이 없고, 오직 시간과 노력과 에너지를 투자해야 한다. 투자한 만큼 얻을 수 있고, 책의 재미에 빠질 수 있다. 책을 읽는 것은 미래를 만들어 가는 과정이다.

정독이 가장 완벽하고
가장 좋은 독서법일까?

Build
Your BRAND

정독은 독서법 중 하나로, 글을 천천히 읽고, 이해하며 세세한 내용까지 파악하는 방식이다.

정독의 장점, 단점

깊은 이해 : 정독은 문장 구조, 단어 선택, 상세 내용 등을 주의 깊게 살펴보면서, 글 전체를 철저히 이해하는 데 도움이 된다. 세부 사항에 집중하여 작가의 의도를 파악하고 텍스트의 미묘한 의미를 발견할 수 있다.

시간 소모 : 정독은 천천히 읽으면서 세밀한 내용까지 파악하기 때문에 시간이 많이 소요된다.

정보처리 부담 : 일상생활에서 우리는 다양한 종류와 양의 정보와 마주치게 된다. 모든 정보를 깊게 이해하려면, 너무 많은 부담감과 압박감이 생길 수 있다. 모든 자료에 대해서만 깊게 접근하기보다 필요할 때, 선택하여 접근하는 것도 중요하다.

속독을 배우기 전에 책을 천천히 정독으로 읽었다. 책을 정독으로 천천히 읽으니까 책상에 계속 책만 쌓여갔다. 책 한 권 보는데 다섯 시간 이상 걸렸다. 하루 일상에서 다섯 시간 동안 집중해서 책을 볼 수 없다. 어제 책을 보고, 오늘 다시 나머지 부분을 읽기 위해 책을 펼치면, 어제 읽었던 부분 내용이 기억나지 않는다.

읽는 속도가 너무 느려서 책 읽는 재미를 몰랐다. 아웃풋을 하기 위해 책을 읽고, 메모하면 시간은 더 걸렸다. 책 읽기가 힘든 일이었다. 독서의 중요성은 잘 알지만, 책 읽기가 재미없어 우선순위에서 밀리게 되었다.

정독으로 책을 천천히 읽어도 책의 내용을 모두 기억하는 것은 아니다. 정독이 가장 완벽한 독서법이면 모든 책 내용을 기억하고 있어야 한다. 사람의 뇌는 망각의 동물이다. 어느 정도 시간이 지나면 잊어버리게 된다.

에빙하우스의 망각 곡선을 보면 우리가 학습 후 10분부터 망각이 시작된다. 1시간 후부터는 약 50% 망각한다고 한다. 정독으로 책을 읽어도 다음날이면 어제 읽은 부분을 잊어버리게 된다. 속독을 배우면서 책 읽는 재미를 알게 되었고, 독서에도 속도가 붙었다. 속독법을 배우기 전에는 책 한 권을 며칠 걸려 읽었는데, 빨리 읽고, 내가 꼭 필요하다고 생각되는 부분은 생각하고, 메모도 가능해졌다. 속독을 배우면서 제일 좋은 점은 책상에 쌓여 있는 책을 다 볼 수 있었다.

빠르게 책을 읽게 되면 좋은 점

시간 절약 : 속독은 글을 신속하게 이미지로 보면서 핵심 아이디어나 주요 내용들을 파악하는 방식이다. 많은 양의 자료를 짧은 시간 내에 처리할 수 있어 시간 절약에 도움이 된다.

정보 습득 능력 향상 : 속독 연습을 통해 읽기 속도와 이해력이 향상되면, 빠르게 정보를 습득하고 새로운 지식을 확장하는 능력이 강화된다. 속독은 눈이 아니라 뇌로 하는 독서법이다. 속독을 배우면서 두뇌가 빨라졌다.

"포토그래픽 메모리 능력을 활용하기 전에는 아무리 열심히 책을 읽어도 잘해야 내용의 40~50퍼센트를 기억했습니다. 하지만 포토그래픽 메모리 능력이 회복되자 며칠 아니 한두 달이 지나도 전체 내용의 90 퍼센트 이상을 기억했습니다. 이때부터는 물탱크 수준의

지식이 쏟아지기 시작했습니다. 이때 깨달았습니다. 제 뇌가 통째로 스캔하고 있다는 사실을요." 〈에이트 씽크〉

이미지로 책을 보면 기억을 못 한다고 생각한다. 이지성 작가는 〈에이트 씽크〉에서 자신이 포토그래픽 메모리로 책을 읽는다고 했다. 즉 책을 볼 때 사진처럼 찍어 읽는 방법이다. 그리고 더 기억도 잘한다고 말했다. 정독으로 읽어도 책 내용을 다 기억하지 못하면, 속독으로 여러 번 읽는 게 낫다.

책을 읽을 때 언제까지 한 글자씩 읽을 것인가? 우리의 눈과 뇌는 글자를 이미지로 읽으면 두뇌가 더 빨라진다.

사람의 뇌는 약 1,000억 개로 연결되어 있다. 책을 읽을 때 좌뇌는 약2만 개 정도만 사용한다. 책을 읽을 때 졸리고 지루한 느낌이 들고, 집중력이 떨어진다. 뇌세포가 1,000억 개 중 음독할 때 2만 개 정도만 활용되기 때문이다. 반대로 우뇌 속독으로 책을 보면, 이미지로 기억하는 세포들은 1억 6천만 개 뇌세포를 사용한다. 뇌가 활성화되면서 그림으로 빨리 이해할 수 있게 된다.

처음에는 1줄씩 이미지로 보고, 10줄씩 이미지로 책을 볼 수 있는 독서법을 익혀야 한다. 급변하는 상황 속에서 가장 빨리, 가장 많이 지식과 정보를 습득하는 방법은 독서. 속독법을 배우면, 사용하지 않던 새로운 뇌세포가 개발돼 집중력이 좋아지고 두뇌 회전이 빨라진다.

정독은 누구나 할 수 있다

속독을 배우면 정독, 속독 모두 가능해 독서가 재미있어진다. 독서가 재미있어지는 순간부터가 진짜 독서다. 책을 읽으면 더 많이 읽고 싶어진다. 세상에는 재미있는 책이 많고, 읽어야 할 책도 많다. 많은 책을 읽고 나면, 스스로 다른 무엇과도 바꿀 수 없는 자산이 된다.

다른 사람들이 책을 읽고 인생이 바뀌었다고 이야기한다. 인생이 바뀔 정도의 책을 읽으려면 독서법을 바꾸면 된다. 독서도 기술이다. 좋은 책을 잘 찾아 읽고, 내 인생에 어떻게 적용할지 목표를 세우는 것이 독서 능력이다. 내가 폭넓은 생각을 하고, 글을 잘 쓸 수 있는 실력은 독서량과 비례한다. 언제까지 책 읽을 시간 없다는 핑계를 댈 것인가?

속독을 배워 마음껏 사용해야 한다. 그것이 인생을 변화시키는 첫 걸음이다. 속독 기술을 내 것으로 만들어 저마다의 꿈을 이루는 데 사용되길 바란다. 내가 이렇게 책을 쓰고, 작가가 된 밑거름은 속독을 배우고 책을 읽었기 때문에 가능했다.